Roger Willemsen beobachtet ein Land, das erste Schritte in den Frieden wagt. Er spricht mit einfachen Frontsoldaten, Kommandanten und Generälen, trifft Drogenschmuggler, Nomaden und Weise, begegnet Verstörten und Traumatisierten, Menschenrechtlerinnen und Häftlingen, ehemaligen Mudschaheddin und Taliban-Funktionären, Fußballerinnen und Musikern. Er besucht Fabriken, Märkte, Schulen und den Ältestenrat eines Dorfes, ist Gast bei einer Verlobungsfeier und inszeniert eine Kinovorführung für Frauen und Kinder. Er überquert den lebensgefährlich verminten Salang-Pass, besucht die schwer zugänglichen Dörfer der Tadschiken, trifft turkmenische Kamelhirten in der Steppe und gelangt schließlich an die Ufer des mythischen Flusses Oxus, der die Grenze Afghanistans zu Turkmenistan, Tadschikistan und Usbekistan bildet. Am Ende ist Roger Willemsens Buch weit mehr als der persönliche Bericht von einer faszinierenden Reise, sondern eine literarische Betrachtung der Grundlagen allen Reisens und eine Suche nach dem Eingang in die Fremde.

Roger Willemsen veröffentlichte sein erstes Buch 1984 und arbeitete danach als Dozent, Herausgeber, Übersetzer, Essayist und Korrespondent aus London, ab 1991 auch als Moderator, Regisseur und Produzent fürs Fernsehen. Er erhielt u. a. den Bayerischen Fernsehpreis und den Adolf-Grimme-Preis in Gold. Heute steht er mit Soloprogrammen oder gemeinsam mit Dieter Hildebrandt auf der Bühne. Sein Roman ›Kleine Lichter‹ wurde mit Franka Potente in der Hauptrolle verfilmt, sein Film über den Jazzpianisten Michel Petrucciani in vielen Ländern gezeigt. Willemsen ist »amnesty«-Botschafter, Schirmherr des Afghanischen Frauenvereins und Honorarprofessor für Literaturwissenschaft an der Humboldt-Universität in Berlin. Seine Bestseller ›Deutschlandreise‹, ›Gute Tage‹, ›Der Knacks‹, ›Bangkok Noir‹ wurden in zahlreiche Sprachen übersetzt.

Unsere Adresse im Internet: www.fischerverlage.de

Roger Willemsen

Afghanische Reise

Fischer Taschenbuch Verlag

3. Auflage: Januar 2011

Veröffentlicht im Fischer Taschenbuch Verlag,
einem Unternehmen der S. Fischer Verlag GmbH,
Frankfurt am Main, April 2007

© S. Fischer Verlag GmbH, Frankfurt am Main 2006
Druck und Bindung: CPI – Clausen & Bosse, Leck
Printed in Germany
ISBN 978-3-596-17339-6

Im Dunkeln höre ich den Gärtner, der die Veranda mit einem Reisigbesen fegt. Wenig später wird der Wagen der Müllentsorgung halten, und aus dem Nebenzimmer dringt das Geräusch eines schleifend geöffneten Fensterladens. Das dreckige Licht, das durch den halb geöffneten Laden fließt, ist mit Nebel vermischt. Es ist feuchtes Licht.

So war der Samstagmorgen am letzten Wochenende im Oktober. Ich sollte abends in Locarno auftreten, war aber schon am Vortag angereist, um meine Afghanistanreise im legendären »Grand Hotel« vorzubereiten, drei Tage, bevor es vielleicht für immer schloss. Die Tage waren so sonnig, dass man im Mantel draußen sitzen konnte. Das Hotel lag riesig und düster da, die langen Korridore, die Salons und Kaminzimmer bereits ihrem Ende zugewandt, staubig und wie mit Firnis überzogen.

Im Treppenhaus der größte Lüster der Welt aus farbigzuckrigem Murano-Glas, die Knospen darauf wuchernd wie Tumore. An den Wänden dunkel patinierte Seestücke und Stiche, die Möbel biedermeierlich über den verschossenen Teppichen mit ihren Sonnenkanten, auf den Deckenfresken in den Salons nackte Athletinnen, geflügelt. Eine bleichhäutige Europa wird auf dem Stier ins Himmelblau gezogen, das auch schon grünstichig dämmert, hinein ins große Welken und Vergehen, das auch die Balkons draußen rissig und moosig hat werden lassen.

Ich breitete die Reiseberichte auf dem Tisch aus, Robert Byron, Bruce Chatwin, Peter Levi, Nicolas Bouvier, Doris Lessing, William T. Vollmann, Saira Shah und andere, auch Fotos, Bildbände, einen Stadtplan, eine Landkarte, dazu die Schnappschüsse, die mir meine afghanische Freundin Nadia überlassen hatte: die Schwestern in einem Garten in Kunduz oder beim Volleyballspielen, Menschen, die lachend ihre Tracht tragend den Frühling begrüßten, Momentaufnahmen aus den glücklichen Jahren des Landes.

Die Terrasse im ersten Stock schloss der Direktor noch einmal auf, damit ich dort einen letzten Kaffee trinken konnte. Nicht alle Läden waren noch intakt, nicht alle Fenster noch zu schließen, und die Speisen, die zum Frühstück gereicht wurden, hatten eine längere Lebenserwartung als das Hotel.

Hier beginnt die Reise in ein Land, das erst vor wenigen Wochen wieder eröffnet hat, Jahrzehnte, nachdem es zum Abbruch freigegeben schien.

Jede Reise beginnt in der Erinnerung, in der Wolke, die den Namen umhüllt, »Afghanistan«, umschwärmt von Rauch und Staub, umstellt von Bildern in Sandstein und Lapislazuli, von theatralischen Hochgebirgen und Steppen, von der Geographie der Gesichter, die Aposteln gehören könnten.

Auch sehe ich noch die stürmischen kleinen Reiter auf den indischen Miniaturen, die ich als Kind wie eine Illustration der Fremde betrachtete, wo grimmige Mongolen und Turkmenen mit athletischen Afghanen in Reiterspielen kämpften. Frauen mit geschwungenem Lidstrich und eleganten Nackenlinien reichten Höflingen die Hand, Falkner waren da zu sehen, Pomeranzengärtner, afghanische Noble, »rau, edel, stolz und unabhängig«, mit »dem Turban auf dem kahl geschorenen Kopf«, so hieß es.

Und dann der »Hippie Trail«, auf den gut hunderttausend junge Leute aus dem Westen zogen, genährt von grünem und schwarzem Afghanen, später dann Heimkehrer mit verfilzten Haaren, die »das Kraut der Armen« rauchten und etwas vom Unbeschreiblichen stammelten. Ich sehe ihn noch, »meinen« Heimkehrer, wie er ratlos durch die Wohnung seiner Eltern ging mit dem einen Satz im Mund: »So lebt ihr also, so lebt ihr also.« Und nichts hielt stand.

Das Zimmer im »Grand Hotel« ist riesig, aber ausgestattet mit zwei Feldbetten. Jetzt habe ich darauf die neueren Bücher ausgebreitet, auf deren Cover man fast immer Frauen in der Burka sieht – offenbar erkennt man Afghanistan nur an plissierten Ganzkörperschleiern, Panzerwracks und Reiterspielen. Wenn man das Fremde so betont, werden die Identifikationswege länger.

Ich lese über Hippies, Taliban und Warlords, über Paschtunen, Tadschiken, Usbeken und turkmenische Nomaden. Es fallen Namen wie »Salang-Pass« und »Panschir-Tal«, historische Reisende bewegten sich auf den legendären Grenzfluss im Norden, den Oxus, zu, zeitgenössische waren bei den gesprengten Buddha-Statuen in Bamyan. Eine Gewürzmischung aus Namen.

Andere rekapitulieren die Außenpolitik Englands, Russlands, der USA, auch die Pakistans und des Iran gegenüber Afghanistan, eigentlich eine Militärpolitik.

Denn teils unwissend, teils skrupellos, machten die weltpolitischen Akteure aus dem Land, dem historischen Lebensraum, eine strategische Größe. Zur gleichen Zeit blicken die literarischen Reisenden mit schwärmerischen Augen in eine Vergangenheit, von der gesprochen wird wie vom verlorenen Paradies.

Bei Bruce Chatwin klingt das noch im Rückblick von 1980 so: »1962 – sechs Jahre bevor die Hippies das Land ruinierten (indem sie gebildete Afghanen den Marxisten in die Arme trieben) – konnte man mit der Vorfreude etwa eines Delacroix aufbrechen, der nach Algerien reist. In Herat sah man Männer Hand in Hand daherschlendern, Turbanberge auf dem Kopf, eine Rose im Mund, das Gewehr in bunten Chintz gehüllt. In Badakhschan konnte man auf chinesischen Teppichen picknicken und der Nachtigall lauschen.«

Die politischen Strategen und die literarischen Reisenden, sie unterwarfen sich nicht dasselbe Land. Sie unterwarfen es gar nicht, es gab nur Scheitern – militärisch an der Guerilla-Mentalität, ästhetisch am Erratischen des Landes. Die Beteiligten wissen es. Militärische und literarische Aussagen über die Unfähigkeit, Afghanistan gewachsen zu sein, klingen verwandt. Kapitulationen, wohin man blickt.

Am glücklichsten verkörperte sich mir das Land in Nadia, der ich vor fünfzehn Jahren am Rande eines Dokumentarfilmfestivals begegnete: Groß, mit schwarz gezeichneten Brauen und Wimpern, dichtem Haar, gehüllt in bunte Tücher, mehr noch in ihr Charisma, ihre Vergangenheit, stand sie da, eine Erscheinung. Man konnte sehen, wie sie durch ihre Anwesenheit die Umstehenden verunsicherte: Wie redet man mit so einer?

* * *

Jede Reise, die man beschreibt, beginnt mit der Frage: Wo war ich? Im Doppelsinn: Wo wurde der Erzählfaden des alltäglichen Lebens unterbrochen, und wie findet man heraus, wo man wirklich war?

Es beginnt mit der Erkundung dieses einen, unverwechselbaren, charaktervollen Landes, es endet mit der allgemeineren Frage danach, wie sich Menschen überhaupt an Orten befestigen, wo sie den Eingang in die Fremde suchen. Der Maler Odilon Redon schwärmte in seinem »Selbstbekenntnis« von einer Zeit, in der die Menschen nur noch »aus Bewunderung oder Mitgefühl in ein anderes Land« eindringen würden. Afghanistan hat in den letzten dreißig Jahren nicht viele solcher Eindringlinge erlebt, vielmehr haben vier Millionen Exilanten Afghanistan als Blaue Blume in die Welt getragen. Überall lebt dieses Land in einer Sphäre des Heimwehs.

»Es war einmal – oder nicht?« So beginnen die afghanischen Märchen. Es war einmal diese legendäre Stadt Kabul, wo eine Bohème entstand, in der die Frauen Miniröcke trugen und die uralte Kultur sich durchlässig zeigte für die jüngste: Afghanistan und Anarchie.

»Erblickt der Reisende, von Süden kommend, Kabul«, schrieb Nicolas Bouvier, »seinen Pappelgürtel, seine malvenfarbenen Berge, auf denen eine dünne Schneeschicht dampft, und die Papierdrachen, die im Herbsthimmel über dem Basar flattern, ist er davon überzeugt, am Ende der Welt angekommen zu sein. Doch er hat im Gegenteil deren Zentrum erreicht.«

Oder nicht? Bilder umschwärmt von Bildern.

Ich war noch in Locarno.

Der Taxifahrer auf dem Weg zum Flughafen verfährt sich: »Ich bin nicht so der Hotel- und Flughafentyp. Ich hab mich eher auf die Behinderten und die Omas spezialisiert.«

Rot geht die Sonne unter.

»Sieht das schön aus!«, entfährt es mir.

»Ja«, erwidert der Fahrer. »Danke.«

Er sagt das, als gehöre die Sonne zur Innenausstattung des Wagens. »Und Ihre Fluglinie?«

»Ab Dubai mit der Ariana – die Never-come-Back-Linie?«, rutscht es der Dame am Schalter für den Zubringerflug heraus. »Mit der würde *ich* ja nicht fliegen.«

Es scheint, als seien selbst die Luftwege nach Kabul Schotterpisten.

Wohin reist du: In einen Blick. Wo willst du ankommen? In einem Blick. Was siehst du, was treibt dich? Das Bild eines Kopfes, der sich auf einem Arm ablegt. Das Bild einer schmalen, abgearbeiteten Hand, die den Tee reicht, ein Gelächter, unterlegt mit den Geräuschen von Autohupen, kalt blasende Klimaanlagen, kleine Rum-Räusche, lange bunte Fingernägel. Eine Grabbelkiste der Stereotypen. Wohin reist du? Aus dem Warten hinaus, an das Ende aller Interimszustände, in ein Schweigen der Schlagzeilen und Slogans hinein, in die selbstständige Bewegung, dem geborgten Selbstverlust, einem anderen Zeitgefühl entgegen.

Im Streulicht der Frankfurter Wartehalle für die arabische Welt: Politisierende Orientalen, alte Mütterchen, die ganze Kulturräume mit sich schleppen, Rückkehrer mit vollen Aldi-Tüten, Exilanten mit Mangelwaren, einer riesigen Baumschere, einem Vogelbauer, dazwischen ein Mädchen auf Krücken, frisch operiert, auch deutsche Polizisten und Ausbilder, auch Trauernde, die einen Sarg in die Heimat überführen. Dazwischen windige europäisierte Afghanen und Perser, die sich »Vermittler« nennen, silbermetallige Import-Export-Schriftzüge auf ihren Visitenkarten haben und flüstern:

»Wenn Sie meine Dienste brauchen… In Kabul nehmen Sie sich einen Paschtunen als Dolmetscher. Alle anderen lügen oder sind vom Geheimdienst.«

Die Schlange stottert voran, auf »Attraction« zu, der Werbung für »The New Fragrance for Women«, auf der Rückseite ein Fahndungsplakat für arabische Terroristen. Einige von ihnen wurden schon mit rotem Filzstift ausgestrichen.

Dann haben wir das Land verlassen.

Um wo anzukommen? Ich versuche, mich zu erinnern.

Nadia trägt einen roten Gazeschleier, den sie um den Kopf gebunden hat als Referenz an das Land, das kommt. Sie sieht prachtvoll aus, Opulenz in festlichen Farben. Auch ihr Make-up ist bereits afghanisch, mit breitem, schwarzem Lidstrich, und ich fühle mich schon jetzt befangen, als ich sie zur Begrüßung in den Arm nehmen will. Immerhin sitzen voll verschleierte Frauen da, Ehefrauen aus den Vereinigten Arabischen Emiraten vermutlich, Shopping Victims unter Kutten. Aber Christian, der Fotograf, begrüßt sie nicht anders, und Nadia ist heiter und leichthin, ein Käffchen noch, dazu ein paar mit Hagelzucker bestreute Trüffel, die sie in einer roten herzförmigen Schachtel reicht.

Wir reisen in ein Land, das am selben Tag wie Deutschland gewählt und kein größeres Chaos dabei produziert hat als das unsere. Die endgültigen Wahlergebnisse aus Kabul sind noch nicht da, werden aber täglich erwartet. In Deutschland tritt Franz Müntefering als Parteivorsitzender zurück mit dem stoischen Gesicht einer erzgebirgischen Weihnachtsfigur. Lobbyisten, wohin man sieht, Ständevertreter, Interessen-Verteidiger, Pressure Groups, zu beobachten beim Beschriften ihrer Stammesinteressen mit dem Signum »Deutschland«. Immer geht es um »unser Land«.

Eine Kampagne mit dem Slogan »Du bist Afghanistan«? Niemand käme auf die Idee. Du Analphabet, du Witwe, du Krüppel, du Mörder, du Krieger, du Drogenbauer, du Burka tragende Bettlerin, du Gestörter, du Exilant, du Ex-Häftling, du Obdachloser, du Straßenkind, ihr Elenden, ihr alle sollt nicht Afghanistan sein und seid es doch. Aber wer würde die so genannte Identität eines Landes durch die bestimmen wollen, die an ihm gescheitert sind?

Vor uns liegt ein Nachkriegsland voller furchtbarer innerer und äußerer Verwüstungen. Es könnte genauso gut ein Vorkriegsland sein. Wir reisen zwischen die ausgekühlten Panzer aus 25 Jahren, in die Ruinen der letzten US-Bombardierungen, in eine verminte Hauptstadt, in das Land der Geiselnahmen und Heckenschützen.

Ich bin noch nicht da, doch nach Gesprächen mit deutschen Soldaten und Geschäftsleuten, mit afghanischen Beamten und Exilierten im Flughafen und in der Ariana-Maschine ist der erste Eindruck: Jeder hat dasselbe Deutschland, jeder ein anderes Afghanistan.

Im Bordfernsehen lacht Amanda Peet das breite Lachen der Southern Belle. Eigentlich bloß eine konventionelle Komödie mit ein paar lichten Momenten, doch nicht sie, sondern die Effekte ritzen das Bewusstsein. Ich betrachte das Land unter mir jetzt in Cinemascope, während vor mir Amanda Peet jetzt nackt an einem nächtlichen Waldsee schimmert, den Freund mit einer Kamera fotografierend, die sie vor die Brüste hält, die Untertitel beschriften ihren Bauch. Sie können nicht freier sein. Der Umgang mit dem Nackten: Hollywoods Burka.

Im Transit-Flughafen von Dubai morgens um zwei Uhr zwängen sich die Wartenden in die Sitzschalen, die konzipiert wurden, das Liegen zu verhindern. Also hüllen sich die Übermüdeten auf dem Boden in Decken, zwischen den Auslagen mit Safran-Zucker-Nadeln und Shampooserien für Hunde, wie um die Idee der Aufbewahrungsstätten für Menschen, die Idee der Lager, aufrechtzuerhalten, wartend bis sechs Uhr früh, bis zum Abflug nach Kabul. Wer nicht zum Lager gehört, das sind die Sommerfrischler mit der immer gleichen Sporttasche, Inderinnen im Zwiegespräch, Extrem-Shopper, tätowierte Monteure, pilgernde Bangladeschi, beladene Afrikaner, Handytelefonierer in allen Sprachen, Heimkehrer in der Tchibo-Radrennfahrer-Montur.

Und dann war da diese junge, mit einem Kopfschleier bedeckte Frau aus Deutschland, eine Afghanin unter all den schwarzen Drohnen aus Saudi-Arabien. Aber diese eine wirkte so durchlässig und nervös, dass Nadia aufmerksam wurde, und weil die junge Frau noch keine Bordkarte besaß, half Nadia ihr weiter.

Das Gesicht von Salema, so der Name der Fremden, scheint unter der Oberfläche aufgewühlt, in einer ständigen untergründigen Bewegung, während sie wohl lieber weltläufig wirken will. Nadia erkennt an ihrer Sprache die Exilantin aus der zweiten Generation, vermutlich eine, die noch nie in ihrer Heimat war. Sogar ihre Stimme klingt nervös, schon weil Salemas Gepäck diese Reise separat angetreten hat. Immerhin gibt es Belege, Quittungen, abgerissene Laufzettel, die am Gepäckschalter vorzulegen sind, und zwischen den Koffern und Taschen hindurch steigen die Angestellten in weißen Kitteln wie Wärter, die sich um Entsprungene kümmern.

Wir werden in einen schäbigen Kleinbus verfrachtet. Salema war im Duty Free Shop und trägt jetzt eine Tüte mit der Aufschrift »Gold Luxury«. Zuerst hält der Bus für eine Gruppe Uniformierter des Bodenpersonals. Sie steigen gemeinsam aus und legen, kaum draußen, als Erstes gemeinsam den Kopf in den Nacken, um die warme Nachtluft zu inhalieren.

Noch im Flugzeug stehe ich dauernd vor der Wahl: Kaffee mit oder ohne, Sekt mit oder ohne, Mineralwasser mit oder ohne, Salat mit welchem Dressing, Käsekuchen mit oder ohne Passionsfruchtsirup. Ich reise in ein Land ohne Wahl. Neben mir ist ein Mann gerade ernsthaft missvergnügt, weil er sein Mineralwasser nicht »Medium« bekommt.

Dann die Erinnerung an einen afghanischen Patienten, der mit seiner Verletzung in den Westen geflogen und dort operiert wurde. Aus dem Zimmer des Krankenhauses sah der Rekonvaleszent eine Frau in Unterwäsche die Fenster putzen, und er protestierte: »Ihr lebt schamlos. Euer Leben ist Pornographie!« Was haben wir entgegenzusetzen?

Der Steward kommt mit dem Dessertwagen und sagt: »Wie gut, dass Sie Platz gelassen haben. Es lohnt sich.«

Das unbewusste Obszöne am Reichtum: Inmitten des Überflusses Platz zu lassen für mehr Überfluss, und schon erscheint einem das Nachlassen des Völlegefühls bereits als Hunger.

Mein Sitznachbar berichtet währenddessen von einer ersten Aktion im afghanischen Arbeitskampf: Die Schuster in Kabul demonstrieren gegen die Chinesen, die ihr schönes Handwerk durch Billigprodukte kaputtmachen. Mit dem Frieden ist die Globalisierung eingetroffen. Die Verteilungskämpfe sind entbrannt.

Wüsten stoßen an schneebedeckte Bergmassive, das lichte Sandgelb geht in ein funkelndes Weiß über: Evakuierte Landschaft. Der Hindukusch mit seinen eng gefältelten Bergketten, seinem Karakul-Muster – als steinerne Springflut liegt er da, mit dicht rollenden Felswellen.

»Kabul hat eine angenehm unprätentiöse Atmosphäre, etwas Balkanisches im positiven Sinn«, schrieb Robert Byron 1933. »Schneebedeckte Berge schmücken den Horizont, das Parlament steht in einem Getreidefeld, lange Alleen führen in die Stadtmitte. (...) Kinos und Alkohol sind verboten. Der Gesandtschaftsarzt musste auf Drängen der Kirche die Behandlung von Patientinnen beenden; allerdings kommen sie manchmal als Jungen verkleidet. Die ganze Politik einer forcierten Modernisierung zeigt nur bedingt Wirkung. Dennoch gibt es eine Entwicklung, und man gewinnt den Eindruck, dass die Afghanen vielleicht den Mittelweg gefunden haben, nach dem Asien sucht.«

Die ersten Reisenden sprachen von der erbarmungslosen Hitze, den unpassierbaren Straßen, den gefährlichen Tieren, Sümpfen, Fiebern, Seuchen. In den Bergen angekommen, tranken sie gegen all das ihren Whiskey mit Schnee. Von oben, aus dem Flugzeug, sieht man zuerst die scharfkantigen Felsgiebel über der zusammengeschobenen Bergmasse, die gefrorene Bewegung, wenig mehr. Dann gehen die Eiswüsten in Wüsten über. Der Mensch in dieser Landschaft kommt einem wie eine verirrte Spezies vor.

Ein deutscher Journalist hatte die Bombardierung Afghanistans durch die USA im Herbst 2001 befürwortet mit den Worten: Die »afghanische Zivilbevölkerung« sei uns doch, mal ehrlich, »völlig egal«. Das unterscheidet sie von der Zivilbevölkerung Dresdens, New Yorks oder Tel Avivs und hat es manchem leichter gemacht, einer Terrorismus-Fahndung durch Flächenbombardements zuzustimmen, von der sie selbst nicht betroffen sind. Merkwürdig, in der Befürwortung des Massentods und dem Stolz auf den Tabubruch hält man sich für kühn, in der einfachen Konzentration auf das Einzelleiden scheint dagegen etwas Anachronistisches zu liegen.

Doch Afghanistan erscheint den Zynikern nun einmal als Opfer-Staat. Wenige Länder der Erde haben in den letzten Jahrzehnten einen solchen Sturz getan. Man sieht das Land vor sich als ein Massiv des Leidens und nicht, wie der König Amanullah es ehedem noch konnte, als »die Schweiz Asiens«.

Nadias wahre Welt ist dieses Afghanistan der Vergangenheit, der liberalen sechziger und siebziger Jahre. Nadias Vater besaß in Kunduz ein Kino und Theater, ein Museum und eine Bibliothek. Heute steht nur noch Ersteres, als Erinnerung für alle, die darin ihre Träume besuchten. Zwischendurch war das Theater Schutzraum, Unterkunft, auch Symbol der Dekadenz. Noch in den siebziger Jahren kamen zu den Vorführungen dort Pantomimen aus der Tschechoslowakei, Oper, Tanz und Ballett aus Russland, Tanz und Theater aus der Türkei, aus Indien und Afghanistan selbst. Subversiv ist auch das Kino nicht aus sich heraus geworden, die Verschiebungen in der äußeren Welt haben es dazu gemacht, und so ähnlich erging es dem ganzen Land.

Ich lese Doris Lessings Afghanistan-Buch. Sie hat ihrem Reisebericht aus dem Jahr 1986 zur Neuausgabe 2001 ein neues Vorwort mitgegeben. Sie befindet sich dort auf dem Boden der Tatsachen der Zeitungen, realpolitisch und secondhand: »Der Krieg in Afghanistan könnte (wir wollen es hoffen) strategische Ziele präzise bombardieren, er kann die Talibanherrschaft beenden.«

Anschließend fordert sie »ein bisschen Bescheidenheit«, »etwas guten altmodischen Common Sense« und »einen Hauch von Skepsis«. Das neue Vorwort endet mit dem Postscriptum: »Soeben haben wir gehört, dass die ersten Bomben auf Afghanistan gefallen sind.«

Vielleicht ist Doris Lessing ein exemplarischer Fall: Sie hat viele Jahre lang für eine Hilfsorganisation in Afghanistan gearbeitet und fällt nach dem 11. September 2001 in die Nomenklatur rhetorischer Kriegführer.

Bis zu jenem Datum hatte sie vermutlich gewusst, dass es »strategische Ziele« so wenig gibt wie »präzise« Bombardements, gewusst, dass der Formalismus der Formulierung dem Realismus der Fakten widerspricht. Sie hatte wohl sogar einen Sinn dafür gehabt, dass im Krieg Appelle an »Common Sense« und »Bescheidenheit« und »Vorsicht« nur eine Bedeutung haben: Sie lassen jene, die so sprechen, moderat und human erscheinen. Doch das ist niemand, der »präzise« Bombardements befürwortet.

Anflug auf Kabul: In den Dreck gekratzte Strukturen, Ton in Ton, die Profile der Siedlungen wie kristalline, elementare natürliche Formen, die Karrees der Siedlungsblöcke intakt, über Kilometer wie Auslegeware hingerollte Grobtextur. Umfassungsmauern, Einzelwände, Bombenkrater, Abschürfungen. Die Haut der Erde windelweich geprügelt, verletzt und verschorft.

Der Flughafen von Kabul ein Repräsentationsbau ohne Innenleben. Dunkle Gänge, provisorische Schalter, abgeschälte Wände mit offen liegenden Leitungen und Rohren, ein hechelndes Förderband, das die Gepäckstücke durch ein Loch in der Wand in die völlig überfüllte Wartehalle spuckt.

Unter den Wartenden vermummte Frauen, ja, aber mit bunten Armreifen und Ringen, mit eingewebten Steinen in der Burka, phantasievollen Mustern, Borten. Einerseits der Versuch, Individualität herzustellen, die Rüstung zu beseelen, andererseits das Vordringen neuer Märkte zum Körper der Frau, selbst der verschleierten. Ich kaufe ein Briefchen »Titanic-Shampoo«, mit einer kolorierten Nachempfindung von Kate Winslets Gesicht darauf.

»Haben Sie«, will ich von dem heimkehrenden Busfahrer wissen, mit dem ich am Gepäckband warte, »unter den zur Wahl stehenden Kandidaten einen vertrauenswürdigen ausgemacht?«

»Nein«, lächelt er, schon entsagend, schon demokratiemüde wie ein Alter aus dem Westen. »Aber es hätte so gut werden können.«

Daneben greift sich ein Amerikaner gerade einen Gerätekoffer. Auf seinem T-Shirt prangt der Aufdruck »Tear Down Team«.

Wir stehen immer noch in diesem Provisorium einer Flughafenhalle aus unverputzten Ytong-Blöcken, unter den schmalen Neonröhren mit ihrem vibrierenden Licht. Der Raum hat noch nicht alle Reisenden aufgenommen und ist schon zu voll. Packer übersteigen die Koffer und Pakete. Tatsächlich kommen aus dem Loch in der Wand immer noch einzelne, umkämpfte Gepäckstücke. Manche werden begrüßt wie Menschen.

Nadia dazwischen, warm und vermittelnd, alles auf sich nehmend, sogar umarmend: das Gewirr am Gepäckband, das Rangeln der Männer um ihren Besitz, das Dirigieren der Packer, das Fordern der Kontrolleure, die die Gepäckabschnitte vergleichen. Lauter hundertjährige Gesichter sind im Raum, abgearbeitete Hände, die Pakete tragen, eingewickelt in Noppenfolie und Zellophan, auch selbst gebastelte Koffer und geraffte Bündel, und durch Lichtschächte sieht man draußen eine Menschenmenge hocken und warten, das Staublicht, den gefegten Vorplatz, die Ruinen zu beiden Seiten.

* * *

Salema glaubt nicht recht daran, dass ihr blauer Koffer synchron mit ihr aus dem Saarland bis nach Kabul gereist sein könnte. Ihre Geschichte kommt fast en passant: Als sie acht war, haben die Mudschaheddin ihre Eltern getötet. Sie war nun ein afghanisches Waisenkind, das von den Tanten früh nach Deutschland verschickt wurde, wo weitläufige Verwandte wohnten.

Tatsächlich kommt Salema nun zum ersten Mal nach Afghanistan zurück. Sie erwartet ihre Tante, ist aber nicht sicher, dass sie diese wiedererkennen wird. Auch weiß sie nicht, was sie sonst erwartet, welche Hoffnungen sich an ihren Besuch knüpfen, und ob sie den nächsten Wochen in der afghanischen Stadt Ghazni gewachsen sein wird. Zwar hat sie vorsorglich schwarze Kleidung angelegt und den Kopfschleier über ihr Haar gebreitet, aber wer will sagen, in welchen Details sie westlich ist, ohne dass sie es wüsste? Sich richtig zu kleiden, die Männer zu meiden, das lässt sich beherzigen, aber was ist mit dem Gang, der Gestik, der Stärke der Stimme, dem Temperament?

Ghazni, eine ehemalige Taliban-Hochburg, ist heute eine stark zerstörte Kleinstadt, die Salema viel abverlangen wird. Dann kommt wunderbarerweise ihr Koffer. Gehen aber möchte sie nicht, bevor wir nicht unser eigenes Gepäck haben.

»Kannst du Tadschiken und Paschtunen auseinander halten?«

Sie nickt.

»Und welchem Stamm gehörst du eigentlich selbst an?«

Sie streicht sich mit den spitz zulaufenden Fingern über die Umrisse des Gesichts:

»Dieses Asiatische hier, schau mal, dieses Mandelförmige hier«, sie markiert Augen, Wangenknochen und Schädelkontur, als sei alles eine einzige Mandel, »das ist tadschikisch. Ich bin eine Tadschikin.«

Nadia setzt hinzu, ihrer nomadischen Herkunft wegen erkenne man die Paschtunen wie viele andere Bergvölker Afghanistans noch immer an ihrem ausgreifenden Schritt, den groß geratenen Gebärden, der lauten Stimme, mit der sie sich traditionell gegen den Wind, die Entfernungen, das Gebrüll ihrer Viehherden durchsetzen müssen.

Auf dem Vorplatz mit seinem breiten Sicherheitsabstand zu allen, die hier auf Heimkehrer warten, verabschiede ich Salema mit Handschlag. Das ist unter aller Augen zwischen einem Mann und einer Frau, auch wenn sie aus dem Westen angereist kommen, schon fast zu viel. Als Nadia Salema umarmt, sehe ich deren Lippen zittern.

Aber als sie sich löst, bewegt sich schon ein aufflatterndes Grüppchen verhärmter kleiner Frauen wie elektrisiert auf sie zu. Doch, sie erkennen sich. Die Tante, ihr sehr ähnlich, trägt einen blauen Umhang und muss kaum in Salemas Augen blicken. Sie nimmt einfach ihren Kopf in beide Hände und küsst immer wieder die Stirn, dann zieht sie eine Spur der Küsse diagonal durch das Gesicht. Tränen fließen nicht, aber die Tante putzt sich unaufhörlich die Nase.

Ein paar Assistenzfiguren stehen in feierlicher Anbetung auch noch herum. Dann setzt sich der kleine Pulk in Bewegung, die Tante im angestaubten blauen Gewand, Salema mit ihrem blauen Köfferchen, farblich verschwistert. Am Ende besteigen sie ein winziges Auto und machen sich auf die Reise in den Süden. Weiß die Tante, dass Salema nicht für immer bleibt, dass sie vom Land nach Kabul, später ins Saarland zurückkehren will? Auf der Rückbank sehe ich zum letzten Mal ihr liebenswertes, herbes Gesicht, jetzt fassungslos.

Dann überqueren wir den Platz und gehen auf diese Hundertschaften zu, schweigende, ausgemergelte Gesichter, von Entbehrung gezeichnet, aber nach innen brennend, über die Augen hungernd, und über ihnen die Banner der Handy-Werbung, der neuen Suppen. Da zuerst die Träume produziert werden, kommt erst die Werbung in ein Land, dann die Ware.

Die Männer schweigen und schauen. Sie haben allen Grund zum Misstrauen, allen gegenüber, die da ankommen und etwas wollen: ihr Land, Profit, militärischen Einfluss, ihre Frauen, ihre Würde? Was ist je Gutes von außen gekommen, seit sie auf der Welt sind? Und zugleich: Sie kennen unsere gewöhnlichsten Handlungen nicht, mustern alles, entziffern unser Leben in unserer Routine: Wie putzen wir uns die Nase? Wann berühren wir einander im Reden? Wie machen wir einen Koffer fahrbar?

Am Geländer eines abgezäunten Platzes wartet schon unser Vertrauensmann und Begleiter, Mirwais, Nadias Cousin, ein in sich gekehrter, bärtiger Mann im grauen afghanischen Hosenanzug, in der Hand seine Tasbeh, die Gebetskette, die er in den nächsten Wochen für kaum eine Minute weglegen wird.

Mirwais hat ein Gesicht, das nicht Ernst werden kann, ohne zu leiden. Das macht sein manchmal abrupt aufflammendes Lachen umso beglückender. Seine Augen bewegen sich schnell, er liest die Umgebung, war lange selbst Mudschaheddin, auch Rundfunksprecher, Journalist, dann hat er sich enttäuscht von der Politik ab- und der Verwaltung der ehemaligen Besitztümer von Nadias Familie zugewandt. Er ist auch Vertrauter, Helfer bei den Projekten des Afghanischen Frauenvereins, eine Respektsperson, über die in den nächsten Wochen alle mit Ehrerbietung reden werden.

Die Ankunft in einem Trauma, in einer Landschaft, die alttestamentarisch scheint, für viele Inbegriff von Tod und Verwüstung, in der Menschen verschwinden, abtreten, ins Gras beißen, immer fehlen werden. Immer. Ein Land, über dem sich alles türmt, was fehlt.

Die Kriegsgeschichte dominiert alles. Der letzte Raketenbeschuss ist nur Wochen her, ausgebrannte Panzer, schweres Gerät liegen gestrandet. Selbst die Straßenarbeiter im Graben halten die Schaufeln wie Waffen. Und Kinder lehnen an der Hauswand, gespenstisch erwachsen, in Posen, die sie den Kriegern abgeschaut haben. In unserer Luxus-Psychologie heißt das »Traumatisierung«. Anders gesagt: Sie haben ihr Leben dem Tod abgetrotzt und es noch nicht restlos gewonnen.

Das Auge klaubt die Indizien zusammen, um das zu stützen, was man von vornherein wusste, zu wissen glaubte. Die Ruinen, die Kreuze, die Grabhügel mit wehenden Wimpeln, die Waffen, die Einschusslöcher, die Brandspuren. Wen erreicht das noch? Wer ist noch nicht stumpf?

Die anderen: die es mit sich tragen, Grabhügel in den Augen. In die Falten hat es sich eingegraben, die Physiognomien hat es modelliert. Auch die Nacht ist anders, denn es starren so viele offene Augen in sie hinein, weil sie nicht anders können als zu starren und zu wachen.

Den umkämpften Flughafen von Kabul flankieren heute ein Lastwagenfriedhof, verlassene Stellungen, Flugzeugwracks und demolierte Helikopter im baufälligen Hangar. Jede Maschine, die hier in das Elend der zerrütteten Stadt rollt, wird begrüßt von Transparenten mit drei Repräsentanten: Präsident Karsai, Kriegsheld Massud und Siemens – Welcome to Kabul.

An der Straße das Denkmal einer Rakete, in den ausgemusterten Containern Läden mit Gemüse, hängendem Fleisch, Everest Pizza. Die Architektur des Elends ist überall gleich.

In die Schneisen des Friedens dringen als Erstes die Handy-Anbieter, und die von den Deutschen ausrangierten und den Kabuli geschenkten Busse grüßen: »Modern Hamburg All the Best«. Wir passieren Militärposten, dann das »Ministerium für Grenzen und Stammes-Angelegenheiten«, dann die »Kriegsopferklinik«: Welcome to Kabul.

Die Geschichte Afghanistans, das nie kolonialisiert wurde, ist die eines kaum je unterbrochenen Kampfes um Unabhängigkeit. Was aber wird aus dem Stolz des Volkes, das jetzt in eine Kultur geschoben wird, die nicht die seine ist, in westliche Demokratie, Welthandel, in die Internationale der Unterhaltung und des Fastfood?

Zur afghanischen Kultur gehören auch Waffen, Opium, Burka. Will man das leugnen? Der Mohn war Teil des Ritus, der Medizin, man rührte ihn in den Tee, und im Kampf gegen die Sowjets wurde selbst er irgendwann zur Waffe. Erst damals, unter der sowjetischen Besetzung in den achtziger Jahren, wurden die Felder größer, und mancher sowjetische Soldat fiel erst der Sucht, dann den Kugeln der Mudschaheddin zum Opfer.

Der alte Kampf um Selbstbewahrung bleibt. Zwar nennt ein Drittel der Bevölkerung als Bedingung für den Frieden »Entwaffnung«, aber auch die Waffe ist ein tradiertes Gut, ein männliches. Denn Frauen haben zu Kriegszeiten nicht einmal die Burka zum Waffentransport missbraucht. Inzwischen hat die Entwaffnung nur beim schweren Gerät gute Fortschritte gemacht, und man spricht stolz von bald vierzigtausend entwaffneten Milizen. Aber auch hieraus bilden sich illoyale Grüppchen, Aufständische, Revisionisten. Die leichten Waffen sind immer noch verbreitet, und täglich hört man von neuen Waffenlagern.

Nach dem 11. September hat man im Westen die Bombardierung Kabuls fast blindlings als Katharsis begrüßt und Wiederaufbau versprochen. Wenn ein Drittel der Bevölkerung an die Entwaffnung glaubt, dann bauen doch nur zwei Prozent auf »Hilfe von außen«, und das angesichts einer Präsenz von etwa zweitausend internationalen Nicht-Regierungsorganisationen im Land.

Ohne diese und ohne die Hilfe der Exilierten aber wäre Afghanistans Desaster komplett. Dennoch werden selbst hilfreiche Exil-Afghanen, die Geld und Leben einsetzen, um zu helfen, mitunter als »Hundewäscher« verspottet, die den Reichen im Westen die Tölen putzten, sich ein leichtes, gut bezahltes Leben machten und die Daheimgebliebenen im Stich ließen. Der Stolz, auch der Starrsinn der Afghanen im Lande lässt nichts anderes zu.

Vor den lehmgrauen Felsen stehen hier und da die Mandarinenverkäufer als leuchtend orangefarbene Punkte. Sie sind Importeure, Makler, Vermittler. Afghanen waren stets weniger Produzenten als Händler, das ist ihr Geschick. Aber der hygienische Standard ihrer Trockenfrüchte und Nüsse, die teilweise mit Pestiziden hoch belastet sind, genügt den Importvorschriften des Westens nicht, und so bleiben die hiesigen Händler auf ihren Waren sitzen und können diese allenfalls nach Indien exportieren.

Jetzt, da das Land seine Wahlen hinter sich hat und die ersten Monate eines labilen Friedens erlebt, muss es gleichwohl um die billigste Wohltätigkeit betteln: das Interesse der westlichen Welt. Die Scheinwerfer aber sind schon weiter gewandert.

Wir erfahren: Sechs Prozent der Menschen in Afghanistan haben Strom. Wir werden dazu gehören. Ein Viertel aller Kinder erreicht das fünfte Lebensjahr nicht. Wir gucken teilnahmsvoll. Auch in Kabul sind achtzig Prozent der Menschen auf fremde Hilfe angewiesen. Wir verteilen Almosen. Die Hälfte der Bevölkerung ist chronisch unterernährt.

»Ich sehe hier niemanden verhungern«, höre ich eine Europäerin sagen.

Fünf Prozent sind behinderte Kriegs- und Minenopfer. Wir bedauern. So geht das immer weiter, doch leer sind alle Begriffe ohne Anschauung.

Einziger Schmuck des Hotelzimmers ist ein Din-A4-Foto: Touristen auf Liegestühlen vor Bambushütten. Darunter steht »Afghanistan«. So habe ich es mir nie vorgestellt. Aber draußen ruft der Muezzin, die Tagesdecke ist aus Velours, bedruckt mit fetten Rosen.

Man trete ein und präge sich schnellstmöglich alle Wege ein. Die Stromausfälle kommen rasch und plötzlich, und man wird sich bald im Dunkeln zurechtfinden müssen.

Auch die Nacht ist hier aus einem anderen Stoff, voll von den Blicken derer, die mit aufgerissenen Augen in das Dunkel starren. Eine Stimmung wie das langsame Lösen der Finger einer Faust in nachlassender Angst oder im Tod.

Die Angst, die wir Reisende haben, und die Angst, die diese Stadt bleischwer niederdrückte über Jahrzehnte. Alle Arten von Angst überkreuzen sich, im Augenblick kommt die Angst vor Erdbeben, vor Cholera dazu.

Der Portier in einem unbeobachteten Augenblick, sein uninteressierter, besser: vom Nichts inspirierter Blick. Später sagt er, man habe ihm zu fleischfarbenen Socken geraten. Da aber seine Haut gelb ist, entscheidet er sich für gelbe. Sie fallen tatsächlich nicht auf.

Im Hotelgarten kniet er neben dem bewaffneten Guard, der seine Kalaschnikow an einen Busch gelehnt hat. Im Gebet nehmen die Krieger einen veränderten Gesichtsausdruck an. Manche werden zart.

Wenn einer von ihnen ein Talib war oder mit diesen zusammenarbeitete, wie sieht er jetzt in die Welt – auf Nadia, die unverschleiert über die Straße kommt, auf Christian, der sich mit der Kamera unter die Menschen mischt, auf die mit Frauenbildern gepflasterten Schläge der Kioske, auf die Frauen der Wahlplakate? Und warum führen selbst für den Fremden noch immer so viele Assoziationen in die »Zeit der dunklen Bärte«?

Atiq Rahimi – nach seinem Roman »Erde und Asche« der bekannteste afghanische Gegenwartsautor im Ausland, in Afghanistan, einem Land ohne Buchverlag, aber ein Unbekannter – fragte zur Taliban-Zeit:

»Wie soll man diese Gegenwart anders bezeichnen als Unterdrückung? Die Unterdrückung ist es, die uns an unserer Existenz zweifeln lässt, die uns in unseren Träumen Zuflucht suchen lässt (…), im Sein nach dem Nichtsein.«

Inzwischen, so setzt sich der Gedanke fort, glaube der Mensch »seinen Träumen mehr als der Wirklichkeit! Wie sonst hätten alle diese Revolutionen, alle diese Kriege und all diese Ideologien Wirklichkeit werden können…«

Und dann die Geburt der Phantasie in der Verweigerung, die Résistance im Kinderspiel: Das Drachensteigenlassen war verboten unter den Taliban, die Drachen aber ließen sich nicht kleinkriegen. Manchmal banden die Kinder sie einfach irgendwo fest, damit sie herrenlos, aber real, über den Himmel tanzen konnten.

Sich vorstellen, was es heißt, kämpfend zu leben: Der Schmerz ist kollektive Erfahrung. Jede zweite Männerhand, die man schüttelt, hat getötet. Jede Familie kennt die schlimmsten Verluste. Jede Ahnengalerie versammelt Kämpfer und Opfer.

Erst gegen die Engländer, die sich 1842 schmachvoll aus Kabul zurückziehen mussten, dann gegen die Sowjets, die sich 1989 zurückzogen, dann gegen Gruppierungen aus dem eigenen Land, dann gegen die Taliban und die Amerikaner. Jetzt treten sie in den Raum, den sie sich erkämpfen wollten. Er heißt Frieden. Was tun sie? Ratlose Blicke, ein Lächeln, zunächst einmal müssen die Frauen und die Tiere diesen Frieden ausbaden.

Die Kultur der Atmosphäre: Man fragt nicht, man bittet nicht, geht nicht einmal auf ein Thema zu, man umlagert es, kleidet es ein, rollt einen Teppich aus, nimmt ein paar Nüsse und Trockenfrüchte, strahlt Bequemlichkeit aus und die Bereitschaft, ein Leben im Kreise der Anwesenden zu verbringen.

Vielleicht lässt man das Thema kurz sehen, mit einer Bitte wartet man bis kurz vor dem Aufbruch. Alles Zielorientierte, Zweckgerichtete, westlich Pragmatische ist kulturlos. Doch das bedeutet auch: Es muss davor etwas geben, das sich mitzuteilen, zu sein und zu sagen lohnt.

In einem Land ohne Meer hat die Farbe Blau eine andere Bedeutung. Es strahlt nur der Himmel, die Burka, der Lapislazuli.

Ein Land in den Farben von Schmirgelpapieren, grobgelb, sandfein. Schon das Grün der Panzer, schon die Tarnfarben westlicher Uniformen wirken hier bunt.

Und erst der Exotismus westlicher Gegenstände in dieser Umgebung: Eine Taschenlampe mit eingebauter Wasserwaage, eine Multifunktionshose mit fünf verschiedenen Taschen an jedem Bein, ein Zimmerspringbrunnen, das Bild eines Hexenhäuschens.

Im Gepäck haben wir medizinische Geräte für ein Hebammenprojekt in Qolab in Shakardara: Untersuchungslampe, Blutdruckmessgerät, Beckenmesser, Uterus-Sonde, Stethoskop, Reflexhammer, OP-Schere, Episiotomie-Scheren, Kürette. Afghanistan ist das Land mit der höchsten Mütter- und der höchsten Kindersterblichkeit.

Das Land zeigt seine Wunden. Die Krieger kommen auf zusammengenagelten Prothesen, auf selbst gemachten Krücken daher, Teile des Rüstungsschrotts schmücken ihre Kleidung, ihre Fahrzeuge. Ein Stieglitz piepst im Käfig, räudige Hunde streunen durch die Mauern. Unfähig zur Feldarbeit, humpeln die mutilierten Krieger bis nach Peschawar in Pakistan, kaufen Güter und schlagen sie auf dem hiesigen Markt wieder los.

Und was für ein Markt, Kreuzungspunkt all dessen, was im Wortsinn »Warenverkehr« genannt werden muss. In der zähflüssig treibenden Menschenmasse Träger mit Baumaterial, mit Vogelbauern, mit gebackenen Schafsköpfen, rosa Plastikgewehren, Fischen, Tierabfällen. Manchmal bewegen sich die Warenbündel scheinbar allein durch die Menge. Unter ihnen bücken sich Männer, Tiere, ächzen Handwagen und Fuhrwerke.

Gleich nebenan eine zweistöckige Loggia, die von den Taliban zweimal angezündet und geplündert wurde: der Geldmarkt, Mittelpunkt des inoffiziellen Devisentauschs, reserviert nur für Männer. Sie stehen zwischen den rissigen Treppenaufgängen, unter Decken, aus denen Steine herausgebrochen sind, halten sich auf der einen Seite mit zwei Fingern an halb gebrochenen Geländern fest und balancieren die Geldstapel auf dem anderen Unterarm, wiegen sie in Schalen, tragen sie in Reisetaschen und Metallkassetten heran.

Die Handystände sind in dem fast ausgetrockneten Flussbett des Kabul Rivers aufgebaut. Dort streifen die Kunden zwischen den Abfällen von Bude zu Bude, die günstigsten Tarife für ein Ferngespräch suchend. Dann wenden sie sich ab und bücken sich in den Schallraum der Stimme tief im Gerät und tauchen lange nicht auf.

Viele Verletzte treiben durch die baufällige Kulisse dieses Basars, und manches herausgeputzte Kleinkind schaut, mit Augen, die der Kajalstift schwarz gerändert hat, fassungslos in den Wirrwarr. Die Schminke soll den Bösen Blick abwehren, und alle anderen Gefahren, die aus den Tiefen dieses Marktes steigen, auch.

Menschen rings um ein Restaurant, angezogen vom Versprechen auf Erlösung von ihrer Schwäche, ein Wieseln und Wittern, ein unruhiges Auf und Ab wie vor dem Ausbruch des Gewitters, einer Panik. Und dann im Gastraum: das animalische Verhalten an den Futterplätzen, das Streunen, Suchen, Nüstern-Blähen als Vorspiel für den Kampf um die Verteilung, das Mundwischen und Lippenlecken. Werben und Drohen, Bitten und Schlingen: Es wird zu etwas Intimem, den Essern bei der Befriedigung ihrer elementaren Bedürfnisse zuzusehen.

Schon in den zwanziger Jahren wurde unter König Amanullah die Gleichstellung von Mann und Frau in Afghanistan durchgesetzt. Frauen hatten Zugang zu allen öffentlichen Räumen, auch des Amüsements, zu Kinos, Theatern und Cafés, die sie gemeinsam und ohne Männer besuchten. In den sechziger Jahren gingen sie sogar in Bars, tanzten mit Fremden, saßen mit Freundinnen in Restaurants und als weibliche Abgeordnete im Parlament. Sie führten ein emanzipiertes Leben.

Und jetzt mache man sich die Radikalität der Veränderung klar, die sich innerhalb von Monaten vollzog: Es beginnt mit dem Kampf der Söldnerheere in den neunziger Jahren. Ihre Führer repräsentieren Stämme und ethnische Gruppen. Der Held der Tadschiken: Scheich Massud, noch heute omnipräsent. Der Held der Paschtunen: Abdul Haq, der Legenden zufolge noch mit einer Prothese kämpfte. General Dostum und seine usbekischen Truppen verheeren Kabul. Sie plündern und vergewaltigen, sie morden.

Als die Taliban im April 1996 Dostum vertreiben, werden sie begrüßt. Ihre ersten Maßnahmen scheinen vor allem die Sicherheit im öffentlichen Raum im Blick zu haben. Dann allerdings wird die akademische Ausbildung von Frauen eingestellt. Auch wird ihnen das Tragen von Stöckelschuhen untersagt, weil das Klappern der Absätze die Ruhe störe. Das Fußballspielen wird verboten. Fernseher und Videogeräte werden eingezogen, und die Fenster müssen schwarz angemalt werden, damit man von außen keine Frauen erblicken kann.

Wohlgemerkt gibt es den Islam der Taliban, den arabisch geprägten, und es gibt den philosophischen Islam, dem etwa zwei Drittel aller Afghanen angehören, und der neben den Ehrenkodizes und dem Stammesrecht die eigentlich prägende Kraft der afghanischen Kultur war. Der Islam der Taliban wurde in den Koranschulen Pakistans, in den Flüchtlingslagern entwickelt. Er war auch eine Art Aufruhr der Einfachen, Ungebildeten, seine Simplizität passte zum Analphabetismus.

Bald kontrollieren die Taliban neunzig Prozent des

Landes, und die frühe Unterstützung durch die USA sowie die diplomatische Anerkennung durch die Vereinigten Arabischen Emirate, Pakistan und Saudi-Arabien verleiht ihnen politische Legitimität.

Die Frauengefängnisse füllen und überfüllen sich rapide. In den Stadien finden öffentliche Auspeitschungen und Steinigungen statt. Die Männerwelt triumphiert in einer Art machistischem Totalitarismus, der keineswegs unreflektiert ist. Auch die Taliban kennen westliche Filme und Medien, ihre Führer sind in den USA gewesen, haben die Welt bereist. Sie kennen die Vorstellungen, gegen die sie Afghanistan verteidigen, und können als Erfolg vor allem das drastische Sinken der Kriminalitätsrate vorweisen. In einem vom Krieg gezeichneten Land wiegt das schwer, doch errungen wurde es um welchen Preis?

Und andererseits: Was haben wir im Westen dagegenzusetzen? Die Marktwerdung von allem, die Geringschätzung gegenüber all dem Immateriellen, das eine Kultur im Kern ausmacht. Der Ausverkauf der Tugenden, die der afghanischen Zivilisation auch außerhalb des Islam kostbar sind, ist fundamentalistisch auf eigene Weise und provoziert eine fundamentalistische Antwort.

Die Tradition der klassischen afghanischen Folklore, der lokalen Musik, war in Kabul ursprünglich in einem einzigen Stadtviertel angesiedelt. In Kharabat wurden vor dem Krieg in einer von Generation zu Generation überlieferten Tradition Musiker, Instrumentenbauer, Musiklehrer ausgebildet, und das seit über hundert Jahren auf engem Raum. Man tauschte sich aus, entwickelte sich, bewahrte das Bewusstsein für traditionelle Musik und die Dokumente dazu.

Das Viertel wurde vollends zerstört und mit ihm die Musikarchive, Fundamente für die in mündlicher Überlieferung weitergetragenen Traditionen. Heute sind viele Sänger und Instrumentalisten aus dem Iran und aus Pakistan heimgekehrt. Doch leben sie unter kargen Bedingungen von Unterricht, Beschneidungsfesten, Verlobungs- und Hochzeitsfeiern, und selbst hier hat es die traditionelle Folklore schwer. Übernommen haben die Jungen mit Keyboards, Synthesizern und Play-back-Soundanlagen, und manche von ihnen legen schon nur noch Kassetten ein.

Nach Einbruch der Dunkelheit ziehen wir in ein Kulturhaus mitten im alten Musikerviertel. Das Gebäude, in dem heute Nacht drei afghanische Musiker für die Künstler der Stadt spielen werden, ist im sparsamen, an die Neue Sachlichkeit erinnernden lokalen Stil gebaut: Die Fassadengliederung filigran, die Fensterordnung leicht, akzentuiert durch flach aufgesetzte Bänder und Gesimse. Sieht man einen solchen Bau, ahnt man, wie fremd den Einheimischen die nach Neobarock aussehenden, pompösen Paläste im pakistanischen Stil erscheinen müssen, in denen die Warlords und Drogenbarone, aber auch die Heimkehrer aus den pakistanischen Flüchtlingslagern so gerne wohnen. Wenigstens die Letzteren kennen kaum etwas anderes.

Das mimische Zusammenspiel der Musiker: Da ist der Unauffällige, der wie ein alter Handwerker seine Arbeit macht und ganz von der Körpersprache professioneller Ethik zusammengehalten wird; neben ihm der Grandseigneur, ein Virtuose, der sich selbst nicht mehr überraschen kann, aber wohlwollende mimische Kommentierungen nach rechts und links schickt; daneben der Jüngste, der, entflammt von seinen Einfällen, lachen muss, weil er immer wieder überholt wird von der eigenen Fingerfertigkeit, sich staunend zurückwirft und »Ja« in den Himmel spielt und lacht und noch mal »Ja«.

Die eigene Kultur infrage stellen: Wie bewege ich mich, wie lächele ich, wann berühre ich mein Gegenüber? Ist mein Gesprächsstil frontal, konfrontativ, evasiv, ornamental? Wie reagiere ich auf ein Geschenk? Stehe ich zu meinen Versprechen? Welchen Ausdruck wähle ich im Trost? Nichts von dem, was wir psychologisch nennen, hat hier noch diese Bedeutung. Jeder scheint immer zugleich roh und tief, oberflächlich und flüchtig. Was wir rührend finden, wird vom afghanischen Erzähler bloß protokolliert, was uns erschreckt, darf ihn nicht klein werden lassen. Werke sind kaum mehr erhalten, aber Haltung hat sich bewahrt.

Einer sagt: »Die Amerikaner haben erst seit 120 Jahren Elektrizität. Wir haben seit viertausend Jahren Kultur.«

Man kann ein Land auch an seinen Segnungen und seinen Verfluchungen erkennen. Die Verfluchungen: »Du Bart voll Ungeziefer, den nie ein Kamm berührt hat, wie ein Straßenbesen!«, »Der Leichenwäscher soll dich holen!« Die Segnungen: »Möge sich dein gesegneter Schatten nie von deinem Haupt wegheben!«, »Möge dein Horoskop glücklich sein!«

Wer sagt der Tochter: Dein Platz ist unter der Burka? Wer kann sich eine Frau unter einen »Bienenkorb mit Guckfenster« wünschen, wie Robert Byron in den dreißiger Jahren des 20. Jahrhunderts dieses Gewand nannte. Wer kann wünschen, dass Frauen aus textilen Gefängnissen, durch gewebte Gitterstäbe in die Welt blicken, und wie ist die Welt, sieht man sie so?

Wer also trug sie nicht: die Nomaden, denn diese haben ihre eigene Tracht, die Bäuerinnen, die zur Feldarbeit praktische Kleidung brauchten, und die Oberschicht, dort war man westlich orientiert. Auf dem Lande jedoch wird man auch heute kaum eine Hausfrau ohne Burka finden, und die Männer scherzen:

»Hast du diese wunderschöne Frau gesehen?«

»Woher weißt du, dass sie schön ist?«

»Diese Haltung!«

»Und woran erkennst du deine Ehefrau?«

»Ich suche ihr immer die Schuhe aus, damit ich sie erkenne.«

Die Burka der vier Millionen Flüchtlinge, die im Ausland leben, ist die Fremde. Sie ist unsichtbar, aber alles, was der Blick erfasst, hat im Vergleich zum zurückgelassenen Land die Struktur einer Bildstörung.

Kabul liegt 1800 Meter hoch, und doch steigen jenseits des Stadtkessels die schroffen Berge so hoch, als kämen sie direkt aus dem Meer. Doch geben sie sich nicht mit Matten und Hängen, lieblichen Wiesen ab, sie erheben sich aus Staub und Fels – keine Landschaft für Betrachter und keine für Bewohner, eher eine, in der die Anwesenheit des Menschen zufällig, wenn nicht unerwünscht erscheint. Ihre Züge sind klar und reduziert auf das Elementare. Die Kunst dagegen, echte Gegenwelt, wirkt in ihrer Ornamentik überbordend und verschlungen.

Wir sind in unseren Breiten nicht gewohnt, Kultur im Zustand nach ihrem Verfall zu sehen. Unsere Städte werden immer effizientere Maschinen, und sie machen sich zuerst an die Auslöschung ihrer überwundenen Verfallsepochen. Ihre Zerstörungen werden nur noch museal aufbereitet. Insofern bietet Kabul eine Stadtform, die wir nicht kennen: die Expansion in der Zerstörung.

Die Stadt im Staub, behaucht von feinem Sand, benebelt von Smog, durchwabert von Abgasschwaden, geschunden und aus allen Nähten platzend. Diese für nicht einmal eine Million Einwohner konzipierte Stadt beherbergt heute gut vier Millionen, sie hat keine Kanalisation, sondern zugemüllte Abwassergräben, die im Sommer stinken, ein festes Stromnetz nur in etwa einem Viertel der Stadt, sonst Elektrizität aus Generatoren, die, wie der Fernsehempfang, dauernd zusammenbricht. Bedroht von Cholera und Erdbeben, von Selbstmordattentaten, Überfällen, Feindesbeschuss, Taliban-Angriffen und wieder aufflammenden Kontroversen zwischen Banden und ethnischen Gruppen.

Und doch werden jetzt Blumen gepflanzt, Weintrauben hängen vom Spalier, Singvögel zwitschern in den Käfigen. Was je poetisch gefunden wurde, hier wirkt es poetischer, abgetrotzt und gegen den Weltlauf in Stellung gebracht. Wespen, Schmetterlinge, Kohlmeisen jagen durch die Bäume vor der Kriegsopferklinik. Darunter lagern die Männer noch sediert vom Ramadan, der heute zu Ende geht.

Kabul wächst rapide, mit seinen immer neuen Heimkehrern, Land- und Kriegsflüchtlingen. Schon plant man im Norden eine neue Metropole, um Kabul zu entlasten.

Die Geschwulst der Stadt aber trägt den Spottnamen »Warlord City«, ein eigenes Rohbau-Viertel, finanziert vom Blutgeld afghanischer Soldaten, gebaut im protzigen, manieristisch-überladenen Stil pakistanischer Bauherren, das Luxus-Ghetto der Warlords, verachtet von allen.

Schon kaufen die Warlords Strohmänner für die Wahl, schon ist von Marionetten-Parlamentariern die Rede, wohingegen der Kandidat, der das Thema Ehescheidung auf die Agenda brachte, ausgeschlossen wurde, weil sein Anliegen gegen islamisches Recht verstoße.

Warlord City liegt menschenleer. Auf den unbefestigten Wegen lagern, wie zur Erinnerung an die Vergangenheit der Anlieger, drei ausgebrannte übereinander geschobene Panzer.

Der amerikanische Mitarbeiter einer Hilfsorganisation moniert im Gespräch, dass die Bettler auf der Chicken Street ihre Geschichten nur immer so monoton herunterleierten. Findet er, die Bettler könnten sich mehr Mühe geben, um ihr Rollenfach nicht nur routiniert und fatalistisch zu bedienen? Aber was, wenn sie so besessen von dieser einen Geschichte sind, dass sie keine Variation erlaubt, noch dazu, da sie die Geschichte so vieler ist?

Ein ehemaliger Bewohner der Flüchtlingslager im pakistanischen Peschawar erzählt, er habe dort Frauen getroffen, die ausschließlich über kosmetische Chirurgie redeten. Die letzte Bastion aller Wünsche, etwas zu verändern, ist der eigene Körper. Er ist erreichbar. Also werden nach den Handys die Fitness-Studios kommen samt den Schönheitsdoktoren. Auch das ein Indiz für die separate, in unterschiedlichen Entwicklungslinien verlaufende Erziehung der Exilierten.

Nadia im Hotelfoyer, mit Mirwais telefonierend, der noch einige Sachen auf dem Basar besorgen muss:

»Mirwais, halt mal eben das Telefon raus, ich will den Basar hören!«

Afghaniyar: ein Sammelausdruck für die Heimatliebe, den Stolz, die Ehre, die Hochschätzung des lokalen Lebens, die Anhänglichkeit der Afghanen an ihre Heimat. Inzwischen ist sie Teil einer Kultur, durch die sich die Exil-Afghanen selbst von den nicht exilierten unterscheiden. Es ist ein Unterschied, ob man sein Land im Medium des Heimwehs entbehrt oder es liebt, indem man an seiner täglichen Realität verzweifelt.

Unter den Kandidatinnen für die Parlamentswahl ist auch eine afghanische Exilantin aus der deutschen Provinz. Sie hat dort vier Kinder, findet aber die Arbeit in ihrer Heimat zu wichtig, um aus der Ferne zuzuschauen. Sie erhält viele Stimmen, die man ihr aber abzukaufen versucht. Es kursieren Gerüchte, nach denen sogar schon die UN als Stimmkäufer für die USA aufgetreten sind, und auch die Warlords und Söldnerführer haben längst gekaufte Kandidaten im Parlament. Das Vertrauen schwindet, über die Wahlbeobachter wird gelächelt, und kundige Leute sehen die Chancen für die neue demokratische Verfassung des Landes bei fünfzig

Prozent. Scheitert sie, werden die Warlords, die Drogenbarone und die Strohmänner übernehmen.

Der US-Stützpunkt in der Stadt besitzt einen fünf-
fachen Wall aus Betonplatten, steinernen Hindernissen,
Schutzmauern, NATO-Draht. Im Lauf der Monate
kommen immer neue Wälle hinzu, der letzte als eine
eigene Ummantelung gegen Selbstmordattentäter.

Auch das ist der Krieg: Man erlebt die Geburt eines
Staates von Anfang an, um Wasserversorgung geht es,
um Hygiene, Verkehr, Strom, Logistik, Infrastruktur.

Instand gesetzt werden zuerst die Moscheen, hoch-
gerüstet zuerst die Bunker.

Ein weiträumiger Platz am Stadtrand, darüber verstreut
Fußballtore, dazwischen weidende Kühe. Von irgendwo
wimmernde Musik. Die Straßenkinder in Staub gewälzt
mit igelartig hochstehenden Frisuren, jede Strähne einzeln staubergraut, in den Händen Sandaletten, angefres-
sene Fingerbrotfladen, einen leeren Kanister.

Diese Kindergesichter sind, wie ich nie welche gesehen habe, zugleich kindlich, im stürmischen Temperament dauernd begeistert, und zugleich alt, mit Tränen-
säcken und tief eingefressenen Falten um die Augen, um
die Mundlinien. Alte Weiber in Kinderkörpern, mit
staubgetuschten Wimpern. Auf einem Areal von über
einem Quadratkilometer stürzen sie sich auf jede
fremde Erscheinung, mal mit dem Schuhputzkasten,
mal mit dem Wasserkanister, aus dem sie Trinkflaschen-
mengen abfüllen, mal nur aus Neugierde, mal in der
Hoffnung, etwas, irgendetwas zu erbeuten. Sie sind vielleicht acht Jahre alt, häufig jünger, verstehen sich aber

schon auf das Mitleiden, auf das Schuhmacherhandwerk und die Kunst des Überlebens.

Auf der anderen Seite des Feldes liegt hinter einem Betonbau das große Sportstadion. Hier dürfen die Kinder die Athleten mit Wasser versorgen und bekommen eine Kleinigkeit dafür. Das Brot haben sie ausländischen Soldaten für fünf Afghani abgekauft. Noch stillen sie damit den eigenen Hunger.

Diese Kinder wohnen weit weg, sehen aber im Moloch der Stadt ihre besten Überlebensmöglichkeiten. Morgens besteigen sie den Minibus für zwei Afghani. Wenn sie nicht bezahlen können, bekommen sie zwei Backpfeifen und fliegen raus.

»Kennt ihr eigentlich die Fußballerinnen, die hier trainieren?«

»Wir waren sogar schon in ihren Büros.«

Der Anführer blickt kühn. Er kennt alle Spielergebnisse der Männer- und der Frauenmannschaft, hätte auch selbst gerne gespielt, »aber mein Vater ist tot, und ich muss zum Erhalt der Familie beitragen«.

Wir lassen uns von ihm ins Stadion führen, einen geschundenen Ort. Er beobachtet unsere Gesichter, sagt dann:

»Für euch sieht das dreckig aus, für mich ist es das Paradies.«

In dem Acht-Quadratmeter-Raum im Übungshaus, ausgelegt mit Matten, laufen zwei Männer ausdauernd im Kreis.

»Das sind die Boxer«, sagt der Kleine mit Ehrfurcht.

Im oberen Stock eine freundliche Begegnung mit dem afghanischen Trainer der Frauenmannschaft und dem deutschen Supervisor. Der afghanische Betreuer ein

»Fußballverrückter«, mit seinem dunklen Schnäuzer und seiner adidas-Jacke ein Wiedergänger aus dem Fußballdeutschland der siebziger Jahre. Daheim ist der Schnäuzer längst ausgestorben. Der Trainer erweist sich als ein Enthusiast, dessen Freundlichkeit auf seiner Trauer schwimmt. Er bereist das ganze Land auf der Suche nach Talenten, bemüht, auch in anderen Provinzen zu trainieren. Im Norden, von wo er eben heimgekehrt ist, hat man vor einem halben Jahr noch eine Frau gesteinigt. Der Fußball ist auch eine Antwort.

Wir werden in ein Zimmer geführt, das auf zwei Seiten von geschlossenen Vorhängen umgeben ist und so fast wie ein Zelt wirkt. An der Wand Plakate der dreimaligen Weltfußballerin des Jahres Birgit Prinz, die hier vor kurzem ein Training mit den Spielerinnen absolvierte. Sie hat sich viel Freundschaft, viel Respekt unter den Afghanen erworben. Körperlich wirkt sie wie eine Kampfmaschine gegen die zarten, klein gewachsenen, eher unterernährten drei Spielerinnen, die jetzt in das Trainer-Büro kommen: die Erste mit schwitzenden Händen, asiatischem Gesicht, Kopfschleier, die Zweite mit der rauen Haut und der Gesichtsröte aller, die draußen schlafen, die Dritte ein Porzellandämchen mit fein gezeichneten Zügen, Türkisschmuck, verrutschtem Kopfschleier und unschuldiger Koketterie. Dies also sind drei Führungsspielerinnen, drei aus elf Clubs in Kabul, die sich demnächst gegen Mannschaften aus immerhin drei afghanischen Provinzen werden behaupten müssen.

Das Team, aus dem einmal die afghanische Frauen-Nationalmannschaft werden soll, besteht aus einem Kader von 14- bis 18-Jährigen, deren wichtigste Voraussetzung es ist, sich mit ihrer Leidenschaft gegen die Bedenken der Familie und der Gesellschaft durchgesetzt zu haben. Und wie schwer sind die Bedingungen! Zu Hause zu trainieren ist fast unmöglich, es fehlt Platz. In offenen Räumen, unter den Blicken der männlichen Gaffer, ist die Ausübung des Sports verboten. Noch bleibt es also beim nichtöffentlichen Spielen. Denn die Mädchen trainieren in langen Hosen, aber kurzärmlig und ohne Kopftuch.

Das ist ein Erfolg, denn noch vor ein paar Monaten haben sie mit Schleier trainiert, und mehr wird jetzt einfach noch nicht akzeptiert. Nun ruht auf diesen schmalen Schultern ein Teil der Last, in einer Gesellschaft, die die Frauen so lange verbarg, die physische Präsenz, die Öffentlichkeit des Frauensports durchzusetzen.

Eines der Mädchen hat mit seinen Brüdern trainiert und sich dann registrieren lassen. Ihr Kopfballspiel ist heute besser als das mit dem Fuß.

»Und spielt ihr hart, foult ihr?«

»Ich wurde schon oft gefoult, aber selbst noch nie vom Platz gestellt. Andere schon. Die kriegen dauernd gelbe, auch schon mal rote Karten.«

Man freut sich über jede Lappalie, die dieses Spielen hier zu einem normalen macht. Der Trainer ergänzt:

»Wir nehmen am liebsten Spielerinnen mit vorbildlicher Persönlichkeit. Eine gute Spielerin braucht einen guten Charakter, sie muss ein Beispiel geben können, gerade in diesem Ausnahmesport, und: Eine gute Spielerin tut nach ihren Kräften und ihrem besten Willen das, was ihr Trainer ihr sagt.«

Eine der Spielerinnen hat den Fußball im Flüchtlingslager in Pakistan kennen gelernt. Sie schaute einer Partie zu, regte sich dabei furchtbar auf und wollte sofort selbst spielen.

»Wir legten alles Geld für einen Ball zusammen, und es konnte losgehen. Es gab zwei Mädchen, die richtig gut damit umgehen konnten. Das spornte andere an, sie mischten sich ein, spielten selbst, und so wurde allmählich eine Mannschaft daraus.«

Sie resümiert wie eine Fachkraft:

»Weil eine gut war, konnte sie die anderen faszinieren.«

Um trainieren zu können, sind die Mädchen auf die Unterstützung durch ihr Zuhause angewiesen. Die Eltern müssen Courage beweisen, sie müssen Ressentiments aushalten und zur Motivation der Kinder beitragen. Nicht leicht, wenn man Stunden zum Training unterwegs ist – bange Stunden unter Umständen, denn der Weg ist nicht ungefährlich. Das Mädchen, das heute zwei Stunden mit dem Fahrrad fuhr, um rechtzeitig zur Stelle zu sein, wurde auf dem Weg schon mehrfach mit Steinen und Bananenschalen beworfen.

Aggression gegen ihren Sport? Kompensation der Kriegstraumata? Wer könnte das sagen? Alles wird hier beobachtet: ob sie Schminke, ob sie Lippenstift auflegen, kurzhosig spielen, den Schleier ablegen, alles, alles wird kommentiert. Schon deshalb können die Mädchen nur in der Halle trainieren, sich nur langsam verbessern, und es fehlen ihnen internationale Wettbewerbe. So zart sie scheinen, allein der psychische Druck, den sie hier aushalten müssen, um ihr Training zu absolvieren, ist erheblich. Gut, dass es am Wochenende nach Turkmenistan geht zu einem Freundschaftsspiel.

Auf dem Tisch ein gerahmtes Bild von Sepp Blatter, FIFA-Wimpel und Medaillen in der Vitrine, daneben eine Weltkugel aus Lapislazuli. Irgendwie sind diese Abzeichen und Trophäen die Insignien ihres Eintritts in die Welt des Fußballruhms. Ach, sie sehnen sich nach öffentlichen Auftritten, nach Reisen, nach Stadien mit gefüllten Rängen, und doch ist der Weg so weit. Ich wende mich an die Rotgesichtige:

»Und ist dein Vater ein Fußballfan?«

»Nein, er ist tot. Aber meine Mutter ist stolz. Deshalb darf ich zu Hause mit meinen Cousins trainieren, sie werfen mir die Bälle zu.«

Sie hat einen ungesunden, tief sitzenden Husten. Unmöglich, nicht nach der Familie zu fragen, unmöglich, es doch zu tun, wenn man weiß, dass in jeder Antwort Tote liegen werden. Da sie sich dauernd für ihre Fehler entschuldigen, versuche ich es mit der Chronistenrolle, dem bewundernden Blick von außen:

»Denkt mal, ihr seid Pionierinnen. Mit euch fängt alles an, eines Tages wird man eure Fotos in den Büchern finden. Da beginnt der afghanische Frauenfußball, wird man sagen, und auf den ersten Seiten sieht man euch, so wie ihr jetzt seid. Man wird sagen, sieh mal die Schuhe, die Hemden, da waren sie noch verschleiert, da trugen sie noch lange Hosen ... ihr bereitet den Weg.«

Sie verstehen den »Weg« nicht. So eine Zukunft hat insgesamt etwas Unvorstellbares.

Weniger für den Trainer. Von ihm hängt alles ab, von seiner Durchsetzungsfähigkeit gegen die Widerstände der Männer, von seiner Fähigkeit, mit Begeisterung anzustecken, auch von seiner Findigkeit. Unermüdlich reist er durch die Stadtviertel, besucht die Familien, beobachtet Talente und dosiert, was man den Eintritt des Frauenfußballs in die afghanische Öffentlichkeit nennen könnte.

Seine Strategie der Öffentlichkeit gegenüber ist subversiv: Erst wurde geheim trainiert, dann lancierte man erste kleine Meldungen in der Presse. Seit einem Jahr etwa erfährt die Öffentlichkeit überhaupt vom Frauenfußball. Sie will überzeugt werden wie die Familien der Spielerinnen, die auch erst ihre Zustimmung geben müssen.

»Für unseren Trainer«, sagen die Mädchen, »würden wir alles tun, alle. Wenn er ruft, dann kommen wir, egal, wo wir sind.«

Er schenkt ihnen Gehör, zeigt ihnen Lehrvideos, nach denen sie lernen, wie man köpft und dribbelt, und bemüht sich sogar, Strenge zu zeigen.

Sie holen Fotos der ganzen Mannschaft hervor: Hübsche junge Frauen in Blau und Rot, denen man ansieht, wie viel Mut sie brauchen, diesen Sport in die Öffentlichkeit zu tragen, und die manchmal eingeschüchtert werden von der Resonanz auf ihr Tun.

Ich versuche mich fachsimpelnd am Trainer, ihm gefällt das.

»Welches System spielen Sie?«

»4–4–2. Wir sind im Sturm besser als in der Verteidigung.«

Die Mädchen gucken, als seien sie verwundert, schon Teil eines »Systems« zu sein. Sie kennen den Weltfußball nur in Ausschnitten, haben von den Strategien, mit denen man auflaufen kann, keine genaue Vorstellung, aber sie verehren Ronaldinho, Ronaldo, auch Michael Ballack.

»Und wer wird Weltmeister?«

Zwei Stimmen für Brasilien, eine für Deutschland. Und was sagt der Trainer?

»Wenn die Deutschen so weiterspielen, wird das nichts.«

Manchmal spielen die Mädchen sogar gegen die kleinen Jungs von den Kabuler Straßen. Die spielen immerhin flink und ausdauernd.

»Und habt ihr keine Angst davor, vom vielen Spielen dicke Beine zu kriegen?«

Kichern. Dann:

»Wenn es so wäre, wären wir nicht so weit gekommen. Wenn man erst mal auf das Feld geht, rechnet man immer damit zu verlieren. Aber wenigstens geben wir unser Bestes. Da können wir auf unsere Beine keine Rücksicht nehmen.«

»Habt ihr schon eure Rituale vor dem Spiel?«

Und ob: Die eine liest bestimmte Koranverse, die Zweite zündet eine Kerze an und isst dazu Trockenfrüchte, »denn beim Essen verschwinden die Probleme«. Die Dritte betet.

»Und euer Schlachtruf?«

Aus einem Mund: »Wir wollen zusammengehören wie die Finger einer Hand!«

Dann ergreifen sie ihre Handtäschchen, sprechen eine Einladung zum Essen aus, herzlich, wenn nicht inständig, und verlassen den Raum. Schon zwanzig Meter weiter, an der großen Straße, würde niemand mehr vermuten, dass in diesen drei Teenagern die Hoffnung des afghanischen Frauenfußballs geht.

Das »Paradies« des Stadions, von dem uns der kleine Straßenjunge erzählt hatte, ist eine Arena mit schwer beschädigten, aber geschmückten Tribünen, über denen sich die Bildnisse Karsais und Massuds und historischer Heerführer erheben. Große Pfützen liegen auf den Rasenflächen und der Laufbahn, auch sieht man noch die Brandspuren an Stellen, wo früher öffentlich Drogen verbrannt wurden. Ich hatte dieses Stadion in dem Dokumentarfilm von Saira Shah gesehen, ein Ort der Schrecken, der Schauprozesse und Hinrichtungen. Der Trainer fällt ein:

»Wir haben Tage erlebt, da hat man die Opfer an den Torlatten aufgehängt, Frauen wurden hier in der Burka ausgepeitscht oder gesteinigt, und dort drüben, wo heute kein Gras mehr wachsen will, da hat man Menschen erschossen. Und uns hat man gesagt, wir sollen alle kommen und zusehen. Die oberen Tribünen waren reserviert für die Frauen.«

Er zeigt hinauf mit einem Arm, dem auf dem Weg zur Vollendung der Geste die Kraft ausgeht:

»Da oben standen sie, und die Wachleute immer drum herum. Vorne stand mit dem Mikrophon der Mullah und erklärte, um welche Tat und um welche Strafe es sich handelte. Er sprach das Urteil. Dann wurde einem aus der Familie der Revolver überreicht, und er musste dann das eigene Familienmitglied erschießen, nicht mit einem Schuss, mit dreien, in Kopf, Brust und Bauch. Einige der Familienmitglieder sind dabei so durchgedreht, dass sie ganz viele Schüsse abgegeben haben, aus Angst, etwas falsch zu machen.«

Der Trainer kann diese Dinge kaum sagen. Seine Frau, so erfahren wir nebenbei, trainiert selbst eine Mannschaft. Damals ist er zu ihr nach Hause gegangen und krank geworden. Genauer kann er auch das nicht begründen. Er ist krank geworden. Hat viel durch-gemacht.

»Glauben Sie mir. Wir sind so froh, dass wir überlebt haben und arbeiten dürfen, indem wir spielen!«

Zwischen den Sätzen klaffen Abgründe. Der Rasen ist ein Acker voller lehmiger Stellen und Pfützen, und da hinten vor der rechten Eckfahne wächst nichts, da liegt bloß ein großer dunkler Fleck.

»Wir haben das ganze Jahr über versucht, da Rasen zu sähen, wo die Leute erschossen wurden. Aber er wächst nicht an. Er wächst nicht.«

Er wendet den Kopf ab. Ein Tag wie im Spätsommer liegt über dem Platz. Als ein Militärflugzeug darüber-streift, heben sich alle Köpfe.

Wenn man sagt, jemand trägt Weiß, so heißt das, er trägt sein Grabtuch und ist bereit zu sterben. Auf den Grabhügeln verraten grüne Flaggen die Märtyrer. Die meisten von ihnen sind im Kampf gegen die Russen ge-fallen.

Ein Donnerstagabend am Stadtrand. Zur Rechten hoch oben die Ruinen des gigantischen Kastells, das die Bri-ten im 19. Jahrhundert zerstörten. Zur Linken eine weite Senke mit Fußballtoren, schütterem Grasbe-wuchs und kleinen Grüppchen kickender Kinder. Eines reitet auf einer dreibeinigen Ziege davon. Ein anderes sucht im Sand nach Brennholz. Ein Drittes schiebt eine Blechschubkarre in arabesken Linien vor sich her, ge-dankenverloren.

Am Rande waschen die Männer vor-feiertäglich ihre Autos mit dem Wasser, das sie aus den tiefen Löchern am Straßenrand pumpen. All das im Schatten der Friedhöfe, die sich zwischen den Häusern und den Ruinen über den Hang ausdehnen, denn man lebt sein Leben zwischen den Toten und ihren Gräbern mit den büschelartig darin steckenden Fahnen.

Viele heilige Stätten liegen in diesem Gebiet, einige der frühen Heiligen und Märtyrer wurden hier bestattet, und in Sichtweite liegt sogar jene Stätte, von der aus sich der Islam in Afghanistan ausbreitete. Die ersten Gläubigen waren an dieser Stelle von den Feueranbetern umgebracht worden. Heute sind die Anhänger der Feueranbeter in Afghanistan als eine verschwindende Minderheit zwar noch präsent, doch der Islam lebt in einem breiten Spektrum der Strömungen, von den liberalen zu den fundamentalistischen.

Als er zwischen 610 und 632 entstand, ging das Altertum gerade zu Ende, und die Neuzeit dämmerte herauf. Von Norden her hatte sich das Christentum bis nach Zentralarabien ausgedehnt. So entwickelte sich der Islam als jüngste der Weltreligionen eigentlich im Halblicht der erwachenden neuzeitlichen Vernunft, außerdem zwischen Mekka und Medina in einem Strahlungsgebiet jüdischer und christlicher Einflüsse. Er weiß nicht nur von ihnen, er saugt sie auf, und so leben sie in Afghanistan bis heute fort.

Die Basis des alten Kastells stammt noch aus vorislamischer Zeit, und auch die Siedlungen in seinem Schatten und auf der gegenüberliegenden Seite sind alt. Zeitlos ist in ihnen das harte Leben. »Ein hartes Leben«, sagt Mirwais, doch aus seinem Munde klingt es tiefer. Wir sehen die Menschen ihr Trinkwasser auf dem Rücken den Berg hinauftragen, sehen abends den

Hang schwarz werden, während in anderen Stadtteilen wie Kerzenlicht hier und da die Beleuchtung aufglimmt.

Jetzt hört man unten an dem großen Feld die Musik aus den Autoradios dringen, die Fußmatten werden gesäubert, und die Hunde saufen aus den Wascheimern oder den kleinen Tümpeln, die der Regen und der Überlauf aus den Brunnen hinterlassen haben.

Weiter weg reitet ein einzelner Mann auf seinem Esel immer im Kreis. Dahinter steigen Drachen auf. Jetzt dringt allmählich das Rattern der Generatoren durch die Radiomusik, und eine Nacht beginnt, in der wohl niemand den Gedanken an Unterhaltung denken kann. Es ist der letzte Tag des Ramadan. Alle scheinen verlangsamt, ausgekühlt, ihr Blick richtet sich auf den Ead, ein Dreitagesfest, das an die Feiernden vergleichsweise bescheidene Ansprüche stellt: Mehr Gutes tun, ein besonderes Gebet zelebrieren, mit der Familie essen und trinken, Besuch empfangen, Gast sein und Gastfreundschaft zeigen, das ist es in etwa. Der Ead wird auch mit dem Zünden von Feuerwerkskörpern gefeiert. Viel Zusammenzucken.

Wir steigen zu einem der Heiligtümer auf, die Treppenstufen sind gesäumt von lagernden Fürbittenden, Männern mit Liebeskummer, mit gesundheitlichen Problemen, Bettlerinnen in der Burka, Frauen, die sich trauen, uns zu berühren, aber gleich weggeschickt werden. Ich starre in eines dieser Gesichtsfenster, dahinter ein altersloses, aber geschminktes Augenpaar.

Auf dem Markt: Fische im Rauch. Auf der Straße: eine Bettlerin in der Burka, die ihr Neugeborenes in die blauen Schwaden aus Abgasen hält. Das Kind mit aufgeschwemmtem Kopf, der aus den bunten Wollsachen herausquillt. Nadia bleibt stehen:

»Warum vergiften Sie Ihr Kind?«

»Es ist meins.«

»Aber es wird sterben in den Abgasen.«

»Das ist mein Kind, und ich habe nichts zu essen!«

Wir geben. Die Hand, die uns die Bettlerin entgegenstreckt, ist uralt. Wahrscheinlich hat sie das Kind zum Betteln nur gemietet. Die erbarmungswürdige Pietà bleibt unverändert sitzen, wie jeden Tag, an dem wir die Straße passieren. Die Burka schützt die Bettlerinnen auch vor der eigenen Scham.

Die Bettler, die wie die Putzerfische durch den Stau wieseln, die vierspurigen Wagenkolonnen beliefern, dirigieren, blockieren. Mittendrin ein Kamel, ein paar Pferde. Ein Junge hat frische Bolani in seinem Rollwagen, Teigtaschen mit Kartoffelfüllung in scharfer Soße. Die Nacht ist schon eingebrochen. Christian und ich kaufen uns eine Hand voll und essen im Gehen. Der Junge reicht seine Ware in die stehenden Autos. Auf der anderen Seite steigt ein Gleichaltriger gerade aus seinem Ofen. Er greift, in einem gemauerten Kogel sitzend, mit einer Schippe hinein, zieht Fingerbrot heraus und wird es gleich auf der Straße anbieten. Einer erfasst und faltet es zusammen wie ein Kavalierstüchlein.

»Kommen Sie«, ruft der Bettler uns zu, »ich lade Sie in meinen Ofen ein.«

Sie sitzen um die Feuerstelle mit dunklen Gesichtern wie die Köhler im Märchen.

Aus dem Hintergrund seines Lokals schlendert der hagere, missionarisch beseelte Wirt heran, gehüllt in Tücher, ausgezehrt wie nach einem Gepäckmarsch, auf dem Kopf ein Pakul.

»Ich war ein Mudschahed«, sagt er als Erstes. »Und ich heiße Sie willkommen.«

Seine Linke geht zum Herzen.

»Ich war der Freund Massuds, war an seiner Seite...«

Er geht zur Wand. Ein kleines gerahmtes Foto zeigt ihn hoch zu Pferd, Seite an Seite mit Massud.

»Ich war mit ihm im Panschir-Tal. Wir haben auch eine Bewässerungsanlage gebaut. Hier.«

Das Foto zeigt die Schlaufe eines Flusses. Der ehemalige Mudschahed fährt mit dem Finger das Halbrund der Bewässerungsanlage ab, ein Kanal- und Röhrensystem parallel zur Biegung des Flusslaufes.

»Und nun nehmen Sie Platz. Ich habe ein frisches Lamm geschlachtet. Hier sind Sie richtig. Ein sauberes Lamm. Das essen wir.«

Über den Tellern wird in einem fort politisiert:

»Ihr Deutschen seid die Beliebtesten. Eure Arbeit ist gut, aber ihr habt euch auf die Stromversorgung und die Polizeiausbildung konzentriert, die Briten auf den Kampf gegen den Opiumhandel. Vielleicht wärt ihr weniger beliebt, hättet ihr dieses Ressort zu verwalten.«

Ich frage ihn nach dem oft versprochenen Rückgang im Opiumanbau. Doch weiß er es besser: Im letzten Jahr gab es eine Opium-Überproduktion, noch sind die Scheuern voll. Nur deshalb wird in diesem Jahr weniger angebaut.

»Alle Nationen helfen«, sagt er präsidial. »Das ist gut. Aber sie helfen nicht alle nachhaltig. Die einen denken nur an die eigenen Geschäfte. Die Japaner wollten das Buswesen aufbauen, haben sich aber zurückgezogen, die Chinesen und die Türken nehmen Geld für den Straßenbau, und ihr Deutschen, warum forstet ihr nicht die Wälder auf, es fehlt Brennholz! Auch gibt es da einen Staudamm. Ihr habt ihn selbst gebaut. Jetzt ist er kaputt. Wenn ihr ihn wieder aufbaut, helft ihr zehntausend Menschen. Sag das deinem Botschafter.«

Ich verspreche es, und als ich später wirklich beim Botschafter sitze, der so kenntnisreich wie beherzt wirkt, bringe ich das Thema pflichtschuldigst auf. Sein Assistent notiert den Fall und soll sich sofort darum kümmern.

Anschließend gehe ich zu Massuds Freund zurück und richte ihm aus, dass der Botschafter bereits am Bau des Staudamms arbeitet. Politik der kurzen Wege. Das kennt der Mann, er nickt und dankt.

Aus dem Hintergrund des Raums kommt gerade mehr frisches, sauberes Kalb auf mich zu.

Auch die Russen haben, wie jetzt die Amerikaner, das Land vor allem aus der Luft bekämpft und so über eine Million Zivilisten umgebracht. Über Jahrzehnte waren die Afghanen die handwerklichen Krieger, stolz darauf, dass ihnen im Kampf Mann gegen Mann niemand gewachsen schien: die Russen nicht wendig genug, die Amerikaner zu dick, um die Berge zu erklettern.

Ihre Unabhängigkeit geht den Afghanen noch heute über alles, gerade gegenüber den Invasoren aus dem Westen, den Hilfsorganisationen sogar, aber auch gegenüber dem zunehmenden Druck aus Pakistan und dem Iran. Allen diesen Mächten gegenüber haben die

Afghanen ihre Kriegsführung fast privatisiert, haben sie in die Hände von Söldnerführern und Stammesfürsten gelegt. Sie war ein eigener Erwerbszweig, und auch wenn es absurd klingt: Jetzt, da der Frieden vor der Tür steht oder die Schwelle schon überschritten hat, weiß mancher nicht genau, was er mit ihm anfangen, wie er Arbeit finden und in einer Zeit ohne Gefechte bestehen soll. Steht also eine Zeit bevor, in der mancher sagen wird: Zu Kriegszeiten war es besser?

Andererseits kann man die Befriedung des Bewusstseins auch daran erkennen, dass nun mancher stark genug ist, sich auch das Elend der russischen Soldaten vorstellen zu können, die als Kanonenfutter in den unwirtlichen Süden geschickt wurden – zum Morden und zum Sterben.

Es gibt eben kein Land, in dem man nicht zuerst staunte über die Geduld der Soldaten und Arbeiter, der Kleinen und Verlorenen, und ihre Unfähigkeit, sich für die eigene Sache zu empören und zu organisieren.

Aus dem Verkehrsfluss herbeihinkend eine Bettlerin mit Blut auf dem Gitter ihrer Burka, dahinter bewegen sich ihre Lippen, blutrot geschminkt, aber um drei Schattierungen heller.

Im Straßenverkehr bestimmend sind die Humpelnden, auf Krücken Daherkommenden, auf Wägelchen beinlos vor sich hin Fahrenden, Versehrten, Verhinderten, Verkürzten. Die dauernde Erinnerung an die, die nicht im Aufbruch sein können, die mitgeschwemmt werden, wenn sie Glück haben. Überträgt man die physisch sichtbaren Verletzungen auf das Innenleben, denkt sich die seelischen Behinderungen dazu, dann gehört die Stadt den Krüppeln.

Vor dem orthopädischen Zentrum in Kabul lagern die Moribunden und die Versehrten, die sich aus den Provinzen herangeschleppt haben. Sie liegen da mit ihren Krücken und blicken in den Straßenverkehr mit Augen, die das fehlende Bein nicht mehr suchen.

Die Geschichtlichkeit von Gesichtern, ihre Übersättigung mit Erfahrung. Menschen, deren Erfahrung über den Rand getreten ist, überfließende Mienen, die in ihrem Ernst nicht mehr an sich halten können. Und dann: die Bereitschaft, Poesie zu sprechen und sie auch so zu empfinden.

Inzwischen ist in Kabul die Cholera ausgebrochen. Die Stadt sucht sich die Seuche, die ihr passt. Die Konturen der nächsten Bedrohung: Wenn der Sommer kommt, die Kloake durch die Gräben fließt, die Tiere streunen, das Miasma durch die Gassen wabert, dann wird der Gestank zum Trägermedium der Bakterien und Viren, dann blühen die Seuchenherde.

Nachts ein Treffen mit Menschenrechtlern, engagierten Überlebenshelfern auf verlorenem Posten. Und doch, was haben wir nicht allein von den »couragierten Frauen Afghanistans« gehört, der Filmemacherin, die schon zur Taliban-Zeit unter ihrer Burka filmte, den vielen Lehrerinnen, die nachts heimlich den Mädchen Unterricht gaben, der Begründerin des ersten freien Radios unter den Taliban, der ersten Aktivistin, die in der Loya Jirga, der afghanischen Stammesversammlung, offen die Bestrafung von Warlords und Drogenbaronen forderte, der einzigen Bewerberin um die Präsidentschaft unter siebzehn Männern.

Zu diesen modernen Afghaninnen – die aber »modern« nicht im Sinne westlicher Frauenzeitschriften sind – gehört auch Djamila, die Menschenrechtlerin. Sie ist verschleiert, zieht einen Fuß nach, und sie ist die erste Studierte aus ihrem Dorf, die erste Engagierte und Enttäuschte: Die Afghanen wollen Demokratie, sagt sie, aber so früh und zu diesen, nicht aus ihrer Mitte gewachsenen Bedingungen?

»Sie müssen wählen!«, ermahnt Djamila trotzdem die afghanischen Frauen und geht über die Dörfer.

»Gut«, antworten die, »und wen empfehlen Sie?«

»Aber ich empfehle doch nicht!«, versucht sie zu sagen. Dennoch ist ihr bewusst, dass die Bäuerin, fragt sie Djamila nicht, den Vater, die Brüder fragen wird, ängstlich vor Schlägen:

»Die Männer, auch meine Brüder, haben die Gewalt gegen Frauen als Schicksal akzeptiert.«

Doch sie selbst? Ist das Tempo der Demokratisierung auch für sie zu forsch? Ihre Antwort ist trostlos:

»Ich habe alles für demokratische Wahlen getan, aber als sie kamen, habe ich nicht gewählt. Niemand verdient mein Vertrauen.«

Die Formulierung sagt, wie kostbar dieses Vertrauen ist, wie viel es wert gewesen wäre. Doch woher bezieht sie ihr politisches Wissen? Wie achtzig Prozent der Bevölkerung aus Zwei-Minuten-Beiträgen im Hörfunk, und von den achtundzwanzig Radiostationen wird sie in der Tat auch über menschenrechtliche Fragen recht gut informiert. Es erscheinen im Land ja außerdem etwa zweihundert Tageszeitungen, oft nur ein paar zusammengeheftete Blätter, und hundertzwanzig Magazine jeder Ausrichtung. Das politische Interesse ist groß, Politik formt das Leben im Tagesrhythmus.

»Dass man nach dem 11. September mit der Bombardierung Kabuls begann«, sage ich, »hat man im Westen auch mit dem Argument begründet: Wir tun es auch für die Freiheit der Frauen.«

Da lacht Djamila zum ersten Mal: »*Die* Erklärung habe ich wirklich noch nie gehört«, und nach einer gewichtigen Pause sagt sie ernst: »Und ich glaube es auch nicht.«

Die Zukunft des Landes aber, das sind auch Djamila, die Mädchen in den Schulklassen, die Lehrerinnen oder die Deutsch-Studenten am Goethe-Institut, Begeisterte im Aufbruch:

»Ich möchte Dozent werden und meinen Beitrag leisten«, sagen sie. »Ich möchte Lehrer werden, denn ich liebe andere Leute.« »Ich möchte Dolmetscher sein für die deutschen Soldaten.« »Ich möchte Goethe lesen.«

Sie haben aus dokumentarischen Gründen schon versucht, Gespräche mit Liebenden zu führen. Doch das ist schwer, denn mit Verliebten zu reden ist verboten, mit Verlobten nicht. Also inszenieren sie in ihrem Unterrichtsraum ein Rollenspiel und fragen sich gegenseitig: »Was ist Liebe?«

»Eine schöne Sache, die man lieben muss.«

»Was denkst du über Beziehungen zwischen Frauen und Männern?«

»Viele verstehen die Liebe nicht. Ich habe viele gesehen, die in Büros Beziehungen haben. Das finde ich gut.

Ohne Frauen können Männer sowieso nicht in einer Gesellschaft arbeiten.«

»Wann liebst du jemanden?«

»Wenn ich Lust habe.«

»In welchem Alter sollen Frauen und Männer heiraten?«

»Frauen mit 20, Männer mit 30.«

»Wenn dein Mann eine zweite Frau hätte, was würdest du tun?«

»Ihn erwürgen.«

»Heiratest du, wen man dir bestimmt?«

»Ich heirate, wen ich liebe.«

So also klingen in Afghanistan die Anfänge jugendlicher Gespräche über Liebe. Eher handelt es sich um Sprechversuche zwischen Jungen und Mädchen, die sich irgendwie in die moderne Zeit vorzukämpfen suchen und als private Beschäftigungen nennen: Teppiche knüpfen, Schach spielen, Gold schmieden, Boxen oder Bodybuilding.

Nachts an der Straße ein etwa zwölfjähriger frierender Telefonkartenverkäufer auf dem Heimweg, mit dem Fluss der Autos laufend, nicht gegen ihn, und trotzdem schnellt bei jedem Geräusch eines sich nähernden Fahrzeugs sein Arm mit der langen Kette der in Plastik geschweißten Karten hoch, automatisch, ohne Appell, ohne Glauben an die Wirkung dieser Geste. Er macht sie, weil er sie den ganzen Tag macht. Dieser blinde Automatismus sagt über die Deformationen durch das Elend mehr als das farbige Agieren mancher Bettler am Straßenrand. Die persönlichkeitsbildende Tristesse der Armut.

Nadia verabreicht mir eine Gemüsezwiebel, komplett zu essen, um den Magen von innen auszukleiden und zu wappnen gegen alles, was wir ihm zumuten. Am nächsten Morgen hat jeder Traum Zwiebelgeschmack.

Christian führt eine halbe Flasche Whiskey mit sich. Nachts trinken wir aus Pappbechern kleine Rationen davon, der Boden der Becher suppt durch, und ein wenig Pappgeschmack haben diese Tropfen auch schon angenommen, aber so wird es leichter, den Eingang in den Schlaf zu finden in Nächten, die so randvoll sind mit ungewohnten Geräuschen.

Der Strom fällt dauernd aus, Mirwais steht plötzlich im Zimmer, nach dem Rechten sehend, Kabel werden über den Flur gelegt, plötzlich ist auch Nadia da, übermütig, jede neue Situation feiernd wie eine zauberhafte Facette ihres Landes, in dem die Unordnung literarische Situationen hervorbringt. Sie verteilt winzige Taschenlampen, ihr Gepäck ist unerschöpflich. Im Schein der bläulichen Birnchen tappen wir durch das finstere Haus, verlegen Leitungen in den Flur und wieder zurück. Nadia wird immer fröhlicher.

Man denke sich einen jungen Mann, der in den pakistanischen Koranschulen aufwächst, ohne Zugang zur Weiblichkeit. Alles, was er lernt, alles, zu dem er Zugang erhält, ist die eine fundamentalistische Weltanschauung, fraglos und bilderlos. Seine Freunde sind 25-jährige Männer, die aus Waisenhäusern stammen, gescheiterte Mudschaheddin, Desillusionierte und Machtlose mit der einen Autorität im Glauben.

Überall kursieren Witze über den jungen Talib, er weiß es. Ich höre nur die Pointe eines dieser Witze:

»Der Kopf deines Gatten liegt im Garten.«

Auf der Landkarte des Humors sind die Taliban die Ostfriesen der Region. Heute tragen sie Nadelstreifen und Calvin Klein und hoffen, unauffällig in der neuen Regierung zu überleben. Ein hoher Talib etwa wurde von den USA ein Jahr lang im Lager von Bagram interniert. Nach seiner Freilassung kandidierte er für das Parlament und sitzt dort heute als ein Liberaler. Das Volk, das Derartiges erfährt, fragt zu Recht, ob hier umgelernt oder umgedreht wurde.

Aber wie dachte dies Volk, als die Taliban an die Macht kamen? Es begrüßte, dass sie die Waffen einsammelten, begrüßte, dass die Frauen nicht mehr vergewaltigt und Ordnungskräfte eingesetzt wurden. Manchmal hört man ehemalige Mitläufer sagen: Ja, wenn sie nicht so radikal gewesen wären, nicht ethnische Gruppen aufgewiegelt und die Frauen unterdrückt hätten, wenn sie sich weniger grausam gezeigt hätten, wir hätten sie nicht als Fremdherrschaft im eigenen Land gesehen, wir wären dankbar gewesen für den Frieden.

Aber wahrscheinlich unterliegen alle multi-ethnischen Staaten einer besonderen Gefährdung, und dieser hier muss fünfzig Volksgruppen vereinbaren, die alle stolz sind, alle um ihre Identität fürchten und alle ihre Toleranz mobilisieren müssen. Die Gewalt verkürzt die Wege, und da in Afghanistan der innere wie der äußere Druck sich immer wieder in Gewalt manifestierte, gibt es wohl kaum ein Land auf der Welt, das in den letzten Jahren durch so viele extreme Zustände gegangen ist wie dieses.

Khaled ist Laborant im Krankenhaus. Er ist auch unser Fahrer. Er macht seine Laborarbeit aus Leidenschaft für die Medizin. Während er fährt, sprüht er vor Zorn über das, was er im Krankenhaus zu sehen bekommt: Da wird am Fenster operiert, weil es keine OP-Lampen gibt, und selbst bei Operationen betritt und verlässt jeder den Raum, wann es ihm gefällt. Schon nach ihrem zweiten Semester kann man Studenten an offenen Wunden arbeiten sehen.

Die Auflagen sind die alten: Männer fassen Frauen nicht einmal an, wenn es darum geht, sie in die stabile Seitenlage zu bringen, Medikamente und medizinisches Gerät werden auf dem Schwarzmarkt verkauft und weiterverkauft. Ein Kaiserschnitt bedarf der Erlaubnis des Ehemannes, der, Berichten zufolge, den Faden für die Operation oft selbst auf dem Schwarzmarkt einkauft. Angst, Depressionen, posttraumatische Belastungsstörungen prägen auch das medizinische Personal. Ausländische Kräfte versuchen sogar, die Seelen mitzubehandeln, aber wer findet einen Weg durch die verschlungenen Leidensgeschichten? Die Ärzte verlassen das Krankenhaus oft schon am frühen Nachmittag. Die Helfer aus dem Ausland beschreiben sie als »erstaunlich abgebrüht«. Was sie zurücklassen, kümmert sie nicht. Jeder von ihnen ist hart geworden nach dem Krieg, hart wie eine Narbe.

Nadia am Ead: Violett, Türkis und Gold mit lauter gestickten Borten. Das Bewusstsein der Frau am Feiertag, eine Pracht zu sein und nach den Wochen der Auszehrung den Augen ein Fest. In der Frühe besuchen wir sie im Hotelzimmer. Sie blickt sich um:

»Es tut mir Leid, dass ich euch nichts anbieten kann.«
Ein Reflex, wir haben vor Minuten gemeinsam den Frühstückstisch verlassen.

Die legendären Papierdrachen Afghanistans: In einem Mörser wurde erst Glas zerstoßen, dann die Schnur, an der das Gerüst aus Holzleisten und Papier befestigt ist, in Klebstoff gebadet, anschließend durch die feinen Splitter gezogen. Nun entließ man den Drachen in die Luft und versuchte, mit der scharfen Schnur die Drachen der Mitstreiter am Himmel loszuschneiden. Gelang das, musste der so erbeutete, frei trudelnde Drache als Trophäe eingefangen werden.

In Deutschland liegt die zugelassene maximale Flughöhe eines Papierdrachens bei zweihundert Metern. In Afghanistan liegt sie bei unendlich. Je höher man den Drachen fliegen lässt, umso schöner ist es. Wir steigen auf das Dach. Wirklich, irgendwo sind immer Drachen in der Luft. Von den Lehmdächern aus steigen sie auf, wo man auch die Weintrauben, Tomaten und Auberginen trocknet.

Einmal im Jahr werden die Dächer mit Stroh und Erde isoliert. Traditionell treffen sich hier die Liebenden, oder sie verständigen sich mit Zeichen über die Entfernung. Und die Kinder spielen hier mit ihren Drachen, folgen der Schnur, springen von Dach zu Dach, stürzen auch immer wieder zwischen die Häuser. Dennoch ist es eine Gegenwelt, die Welt der Dächer.

Wie erkennt der afghanische Mann seine Frau in der Burka, wie erkennt er die Attraktivität derer, um die er werben will? Da lachen die Männer kundig: Der afghanische Mann hat eine eigene Sensibilität entwickelt etwa für den Gang der Frau. Ist er grazil, ist er pampig? Er sieht, wie viel sie wiegt. Er ergänzt mit Phantasie. Und die Frauen? Konzentrieren sich auf ihre eigentliche Erscheinung, ihren Habitus, ihr nacktes Leben in diesem Körper. Das zählt. Unter der Burka tragen sie oft alte Kleidung.

Die Hosen der afghanischen Männer haben starke Träger, damit sie nicht heruntergezogen werden können. Denn das wäre die größte Schande.

Das Grundthema aller Reiseberichte über andere Kulturkreise ist die Inkongruenz – in unserer Wahrnehmung die asynchrone Entwicklung – der historischen Bewegungen in Lebensräumen, Siedlungsformen, Ethnien, Stämmen. Das Verhältnis von Wissen und Aberglauben, Technik und Spiritualität, Fortschrittswille und Überlieferung unterscheidet sich von unserem erheblich. Die erste Beobachtung gilt also der Koexistenz, dem Simultanen.

Über die Dörfer gehen immer noch Geschichtenerzähler, die mit einfachen Mitteln ihre Hörerschaft bannen:

»Und dann erschien eine Schlange...«

»Huh, eine Schlange!«

»Sie zischte durch den Sand.«

»Hilfe, durch den Sand!«

»Und in der Nacht setzten sich die Djinnen auf ihre Brust.«

»Steh mir bei, die Djinnen!«

Dieselben Zuhörer können aber einen DVD-Recorder bedienen.

* * *

Vor der Alten Moschee ein gigantisches Plakat von
»Afghan Wireless«, eine Konkurrenz der Gottheiten,
der alten und der neuen.

Die Parlamentswahlen kennen noch keine Parteien, nur
Individuen. Also ist die Stadt gepflastert mit den kleinen fotokopierten, manchmal kolorierten Porträts der
Kandidaten, die ihr Gesicht mit Slogans überschreiben:
Wohlstand, Sicherheit, Freiheit, Gerechtigkeit – die internationale Nomenklatur der Heilsversprechen, hier
wie da.

Angesichts des hohen Anteils von Analphabeten gibt
es neben dem Gesicht des Kandidaten ein kleines ge-
zeichnetes Symbol, das sich auf den Wahlzetteln wiederfindet: drei Öllampen, ein Schemel, ein Auge, das Pferd.
Die Kandidaten daneben sehen meist aus wie zur Fahn-
dung ausgeschrieben.

»Gib mir Sitze!«, hat ein Kandidat geschrieben. Sein
Emblem sind zwei Ohrensessel. Er guckt, als meinte er
es wörtlich.

Aber schließlich werden es auch über sechzig Frauen
ins Parlament schaffen, unter ihnen eine Achtzehnjäh-
rige, von deren Hübschheit man überall in den höchsten Tönen schwärmt.

Auch ein Ehepaar hat kandidiert. Er ist bekannt als
Besitzer eines guten Galoppers. Sein Programm lautet:
Religion, Wissenschaft, Fortschritt, Wirtschaft und Demokratie. Er gewinnt nicht. Das Programm seiner Frau
ist nicht bekannt. Aber sie zieht ins Parlament ein.

Heftige Erregung überall angesichts der verworrenen Eigentumslage. Manche Parzellen sind in den politischen Wirren bis zu siebenmal verkauft worden. Im Gewirr der Enteignungen, Besitzanmaßungen, Vorteilskäufe und unklaren Erbverhältnisse machen windige Notare und Anwälte Geld, sichern sich die ersten Beamten, Parlamentarier oder ehemaligen Warlords die Filetstücke.

Indessen haben nicht zuletzt die Hilfsorganisationen mit ihrem Bedarf an Büro- und Wohnraum die Immobilienpreise und Mieten in schwindelnde Höhen getrieben, und die ehemaligen Besitzer von Wohnungen und kleinen Grundstücken finden sich nicht nur betrogen, sondern auch noch in eine Marktsituation entlassen, der sie nicht gewachsen sind. Die kommenden Kämpfe, die des Friedens, werden die Verteilungskämpfe der Marktwirtschaft sein.

In unseren Breiten hat man sich daran gewöhnt, dass die meisten lokalen Feste für den Tourismus fortbestehen und sich unter seinem Blick verändern. Wenn sich in Afghanistan in all der Zeit Feste erhalten haben, dann nicht aus kommerziellen, touristischen Gründen, sondern weil sie stärker waren als der Krieg. Allen voran Buskaschi, das »Ziegen-Ziehen«, angeblich ein Vorläufer des Polosports.

Dabei muss man zu Pferd eine tote Ziege oder ein totes Kalb mit einer Hand vom Boden einer Arena aufnehmen und versuchen, einen großen Kreis abzureiten, während alle anderen Reiter versuchen, einem den Kadaver abzujagen. Der Einsatz der Fäuste und der Peitschen ist erlaubt. Das Fest verlangt nach einer großen

Arena. Es ist wild, archaisch und wurde im Krieg auch zur Entlastung der angestauten Spannung gefeiert.

Die wenigen Fotos, die wir in den Hütten finden, zeigen am liebsten Buskaschi-Motive. In fünfzig Jahren wird das der Rheinische Karneval, das sienesische Palio, das englische »Guy Fawkes« Afghanistans sein. Wir fragen nach, ob es im Augenblick gerade irgendwo Buskaschi zu sehen gibt. Schon sehe ich vor mir die panischen Augen der Pferde, die schnaubenden Nüstern, die Trachten der Reiter, den unkenntlich aufgedunsenen Kadaver in ihrer Mitte, den aufgewirbelten Staub. Der Hotelier zuckt die Achseln. Nicht hier. Nicht jetzt. Mirwais zweifelt, ob die Zeit schon reif sei. Doch vielleicht in Kunduz.

Es gibt die Gelegenheitsbettler, die aufrecht die Straße herunterlaufen, einen Fremden sehen, sofort zusammenklappen, hinkend und schlurfend mit der ausgestreckten Hand herankommen und sich später wieder aufrichten werden.

Es gibt die spirituellen Bettler, die mit einem kleinen Becher voller Kohlen herankommen, Gewürze in die Glut werfen und mit dem Rauch den Spender segnen.

Einer dieser Jungen ist vor der Auslage eines Spielwarengeschäfts stehen geblieben, das von den ohrenbetäubenden Soundtracks pakistanischen Kriegsspielzeugs beschallt wird. Im Fenster drehen sich Panzer, flammen Lichter auf, heulen Sirenen. Hier ein Schnellfeuergewehr aus Plastik, dort ein Wagen mit dem Aufdruck »Military Force«. Die politische Geschichte hat die Schaufenster längst erreicht.

Der Junge mit seinem Rauch im Behälter, für den niemand zahlen wird, steht im Bann der Auslage. Nichts verkauft sich auf den Straßen Kabuls besser als Kriegsspielzeug aus Pakistan, China und dem Iran. Bestimmt sprechen die Spielzeughersteller in diesen Ländern auch von »neuen Märkten«, die »erschlossen« wurden.

Zwischen einem staubigen Parcours für die Motorradjugend und ein paar Buden, an denen Teigtaschen, gefüllt mit Fleisch und Bohnen, Kichererbsen mit Kartoffeln und Joghurt, Suppen, aber auch farbige Eier für die Ei-Duelle und Spielzeug verkauft werden, liegt ockergelb der lagerartige Bau des alten Park Cinemas – auch so ein Vergnügungstempel vergangener Jahre, der die Kämpfe um Kabul äußerlich fast unbeschadet überstanden hat. Auf seiner Fassade Einschusslöcher, aber nur der Putz ist ein wenig abgeplatzt. Davor ein paar angewelkte, staubig ergraute Sonnenblumen.

An der Pforte ein verwachsener Kontrolleur, der die Eintretenden nach Waffen untersucht. Das Kino verführt die jungen Männer zur Nachahmung, deshalb ist es wichtig, sie zu filzen, damit die Nachahmung nicht schon hier im Kino beginnen kann.

Der Kontrolleur geleitet uns humpelnd und zuckend in die Stockfinsternis des Saals. In einem hinteren Areal sitzen ganz allein drei Frauen, die sich schamhaft aus dem Schein der Taschenlampe herauswinden.

Auf dem Balkon sammeln sich etwa hundert Männer. Gemeinsam betrachten sie, wie ein Vater vor den Augen seines Sechsjährigen einen Gangster aufschlitzt. Gleich wird er das Kind in den Arm nehmen, dann wird der Film das Genre wechseln, vom Action Film zum Weepie und zurück: Gerade fallen an Seilen acht schwarz vermummte Angreifer aus der Decke, und der Männerbalkon belebt sich mit Zurufen. Auf dem Plakat hatte gestanden »Romance beyond all Dreams«.

Die Lichtspielhäuser sind heute ruiniert. Sie werden schwächer besucht und als anrüchige Orte gesehen. In den siebziger Jahren gingen die Männer und Frauen Kabuls gemeinsam ins Kino, die Familien hatten hier ihre Logen. Zur Taliban-Zeit zwischen 1996 und 2001 ließen sich die Jungen von Friseurinnen heimlich den »Titanic-Cut« schneiden, inspiriert von Leonardo di Caprio. Wurden sie erwischt, wanderten die Friseurinnen dafür ins Gefängnis. Ob Leonardo das weiß?

Im Park hinter dem Kino hat am Festtag ein Fotograf einen künstlichen Rundprospekt aufgebaut, Landschaft mit See und Palmen unter blauem, dann feuerrotem Himmel. Zu mieten ist außerdem ein Motorrad, das man in die Dekoration stellen kann. Aber heute stellen sich einfach zwei Männer Hand in Hand an das kunstblaue Seeufer, und weil es zwei Männer sind, die so posieren, und weil sie wissen, dass westliche Männer das so selten tun, sagen diese:

»Seht mal, afghanische Männer sind viel fortschrittlicher.«

»Und afghanische Fotografen auch!«, ruft der Fotograf und macht aus der Betätigung des Auslösers einen Triumphakt.

Die anderen Vergnügungen: Ringe werfen über Zigarettenschachteln, Plastikpanzer, eine Taschenlampe, ein Kartenspiel, ein Brillengestell. Davor Kinder im Sonntagsstaat, die meisten mit jenen Narben, die das Messer in den geöffneten Eiterbeulen nach Schmutzinfektionen hinterlässt, neben Wurminfektionen, Parasitenbefall, Typhus und Malaria eine der verbreiteten Erkrankungen. Der abgehäutete Park gibt den Kindern Auslauf, dient aber auch als Feierstätte nach Beerdigungen.

Abseits steht eine einsame Frau in der Burka vor einem Feldstein mit grünem Wimpel, am Grab eines Angehörigen, der gegen die Russen fiel. Am Zittern der Silhouette erkennt man ihr Weinen.

Auf einem der kleinen Buckel unter Bäumen ein Wahrsager, tiefernst, mit einem Vogelbauer vor dem Bauch. Darin drei Stieglitze.

»Wie heißt der Vogel?«, fragt Nadia.

»Vogel«, erwidert der Wahrsager.

Er trägt eine adidas-Kappe und eine schuppig geriebene Lederjacke in Oliv. Ich reiche ihm einen Schein, da küsst er seine Fingerspitzen, pocht mit dem Nagel dreimal an das hintere Gitter des Käfigs. Einer der drei Stieglitze hüpft hinüber und pickt sich ein Briefchen aus einem der drei dort aufgehängten Behältnisse. Der Wahrsager mit den festlich hennarot gefärbten Handinnenflächen reicht mir mit tiefernstem Gesicht den Text, den der Vogel ausgesucht hat. Es handelt sich um ein Hafis-Gedicht, das Nadia zu übersetzen beginnt:

»Du, der du diese Wahrsagung erhältst. Gott wartet in deinem Herzen. Halte fern von deinem Herzen, was unrein ist, damit du die Wahrheit siehst...«

Werde ich. Mirwais lacht:

»Hafis hat noch jeden zufrieden gemacht. Er ist wie Karsai.«

Inzwischen lauscht eine große Traube junger Männer

Nadias Übersetzung ins Deutsche. Der Wahrsager, der traurige Mann, blickt über die Meute. In die Augen sieht er niemandem.

Die Parkwachen an ihrem Posten greifen mit Stolz nach ihren Kalaschnikows und bitten Christian, sie zu fotografieren. Es geschieht.

»Und nun geben Sie mir mein Foto!«

Können sie glauben, dass es nicht in dem Apparat sitzt und nur herausgerissen werden will? Christian streift davon. Bald wird er unter den Eier-Duellanten verschwinden, so wie er überall verschwindet. Es bilden sich Aufläufe, wo er erscheint. Dann macht er sich unsichtbar, und alles ist wie zuvor, nur dass sein Blick dazwischen ist.

Der Parkwächter, mit der imponierenden, fremdartigen Sonnenbrille und den feinen, langgliedrigen Fingern, nimmt die Hand nicht vom Gewehr.

»Ich bin so müde vom Waffentragen«, sagt er. »Soll ich euch nicht lieber herumfahren?«

Dann setzt er die Sonnenbrille ab, und wir tun einen Ausruf angesichts des tiefen Smaragdgrün seiner Augen. Es scheint ihm peinlich, er nestelt am Gürtel und zieht das Kampfmesser, ein amerikanisches. Auf seiner breiten Klinge steht »Freedom Forever«. Dann ist ihm auch das Messer plötzlich peinlich.

»Die russischen sind besser«, sagt er, aber das ist auch das einzig Gute, das er über Russen sagen kann.

Ein amerikanisches Flugzeug streift tief vorbei.

»Macht Ihnen solch ein Lärm Angst?«, frage ich einen Alten.

»Der Krieg ist vorbei. Sollen sie fliegen.«

Sollen sie fliegen. Es zappeln ja wirklich in der Ferne auch ein paar Drachen im Wind, kleine, einfarbige Trapeze, die aus den Ruinen aufsteigen und sich wie Kapitulationsfahnen in den Böen winden.

»Der Krieg ist vorbei, und wie lange werden Sie jetzt auf den Frieden warten?«

Der Alte sieht mir direkt in die Augen:

»Ihr habt die Uhr, wir haben die Zeit.«

Verkehrsschilder wie Kunstwerke. Fußgängerübergang: Der Fußgänger hat keine Füße. Vor einer Schule: Tempo 30, weit und breit das einzige Verkehrsschild. L'art pour l'art. Eine ehemalige Übungshalle für Soldaten grüßt mit dem Schild »Welcoming from each Kind of Partys of Honour«.

Auf den Türen der Läden und Busse steht häufig »Door« und manchmal »Welcame«.

Auf der Straße vor dem Krankenhaus lagern die Elenden in langen Schlangen. Sie haben sich aus der Provinz hierher geschleppt, warten geschwächt und ausgezehrt auf den einzigen Notarzt, der hier ordiniert. Die Straße ist das Wartezimmer. Sollte der Winter einbrechen, werden sie trotzdem hier bleiben und hoffen, so sehr sie noch können.

Nadia blickt schweigend in die Ferne.

»Was ist?«

»Ich erinnere mich gerade an mein Jahr als Studentin an der Universität Kabul. Hier war das Café, in das wir gingen...«

Wir gehen schweigend. Plötzlich steht ein Bett auf dem Bürgersteig, ein Alter setzt sich gerade mühsam darauf. Es ist grau, es staubt. Und dann ein Junge, der einen Strauß Blumen über der Schulter schwenkt, grellbunte Bartnelken, die den Dunst aufreißen und jetzt noch farbiger wirken, und dann stehen da Blumeneimer auf der Straße, Rosen und Lilien, und Nadia läuft hin und steckt die Nase tief hinein. Als ihr Gesicht wieder auftaucht, ist es ernüchtert:

»Pakistanische Rosen! Die duften einfach nicht so gut wie die von hier.«

Das Mittagslokal am Markt ist außen ganz mit Tüll verhangen. Im Innern passiert man erst die Rampe mit dem Schlachtvieh. Zwei Rinderhälften warten noch auf Verarbeitung, das Fett ist gelb gestockt und stumpf, die Luftröhre baumelt auf der Seite, die abgehackten Füße warten separat in einem Blechnapf. Da liegen sie in einem Süppchen aus Blut und Lymphe.

Plakate von Landschaften, vom Buskaschi, von Massud schmücken die Wände zwischen den Spiegeln, daneben wie mittelalterliche Folterinstrumente die fächerförmig angeordneten Kebab-Spieße, Teppiche auf den ochsenblutfarbenen Plastiksitzen, dazwischen die grell orangefarbenen Limonadenflaschen, die Koran-Suren auf Täfelchen. Blumen stehen auf allen Tischen, wenn auch aus Plastik, und auf der erhöhten Rampe sitzen die Alten im Schneidersitz, essend und debattierend. Mit Mandeln und Pistazien bestreut ist der Palau-Reis, mit Rosinen und Rindfleischbrocken angereichert. Die Alten führen ihn zwischen den Fingerspitzen an die fettigen Lippen. Sie sind Experten und deuten den Reis nach dem eigenen Bilde: Das gute Reiskorn ist gerade, das alte hat einen krummen Rücken. Über den Fernsehschirm wandert gerade der junge Michael Douglas, die Fliegen setzen sich auch auf ihn, die Blicke lassen sofort von ihm ab.

»Möchtet ihr, dass nach dem Essen eure Mägen gebügelt werden mit einem Tee?«

Jetzt stürzen Männer von der Straße herein, reißen sich den Mundschutz herunter, eine Faust voll langer Spieße mit Kebab landet vor ihnen auf den Blechtellern. Dann wischen sie mit opernhaftem Schwung und etwas Fladenbrot die Fleischbrocken vom Spieß. Das Fleisch purzelt zwischen die künstlichen Orangenbäumchen auf dem Tisch. Die verbliebene Rinderhälfte hat jetzt eine fast glasige Patina.

Im Hotelfernseher erscheint plötzlich in einem Schneeregen der Bildstörung Harald Schmidt. Ein Programmhinweis der ARD. Schmidt geht durch das Sportschaustudio, redet und lacht sein hauptberufliches Lachen. Seltsame Reibung: Von hier aus betrachtet, das Bild eines Menschen, der den Ernst preisgegeben hat, in einem Land, das aus kaum etwas anderem besteht.

Nadia hat fünf Schwestern und drei Brüder, sie sind über die Welt verteilt. Lauter Mikrokosmen, lauter Anpassungsgeschichten, und mehr noch, Nadia sagt:

»Ich kenne von Kind auf zwei Welten. Wir feierten Feste wie Silvester eher westlich, durften auch Volleyball spielen und im Pool schwimmen. Aber auch wir hatten ein Gästehaus ohne Zutritt für die Frauen, auch wir gingen verhüllt, auch wir genossen Freiheit vor allem zwischen unseren Wänden, und die Jungen schauten aus den umliegenden Häusern über die Mauern, was wir nicht zu bemerken vorgaben.«

Nadias Familie stammt aus Kunduz, der umkämpften Stadt im Norden. Ihr Vater, Direktor der Baumwollfabrik am Ort und ein liberaler, der Kunst zugewandter Mann von einigem Einfluss, war mit dem König befreundet. Er war ein musischer Mann, ermöglichte den neun Kindern eine gute Schule und universitäre Ausbildung, ein hinter Mauern liberales Leben, und der eigenen Frau lauter Unternehmungen, die sie, als junger Mann verkleidet, viel beweglicher machten, als es für eine Frau üblich war.

Als der damalige König Zahir Shah sich in Rom befand und sein Vetter Daud 1973 gegen ihn putschte, wirft man Nadias Vater wegen vermeintlicher Brandstiftung ohne Gerichtsverhandlung ins Gefängnis, wo er als »politischer Gefangener« in Einzelhaft gehalten wird. Die Familie erfährt davon im Radio. In der Nacht schläft Nadia, gerade die Älteste im Haus, mit dem Revolver unter den Kissen. Heimlich packt sie alle Sachen und flieht zwei Tage später über den Salang-Pass nach Kabul.

Bald danach wird sie heiraten, mit ihrem afghanischen Mann nach Deutschland kommen und zwei Söhne zur Welt bringen. Erst nach der Freilassung des Vaters und seinem Besuch in Deutschland sind sie wieder vereint. Wohnen wird keiner von ihnen mehr in Afghanistan, aber Nadia begründet mit anderen den »Afghanischen Frauenverein«, unterstützt die Erziehung und Ausbildung von Frauen auch während des Krieges, schickt von der pakistanischen Grenze aus Hilfsgüter ins Land, reist selbst verdeckt über die Grenze, fördert Schul- und Witwenprogramme, lässt Brunnen und Schulen bauen.

Das Theater des Vaters ist in Kriegszeiten zerstört worden. Die Verwaltung des Kinos hat Cousin Turab übernommen, ein lebenslustiger, freisinniger Endvierziger mit Magenproblemen. Bei ihm, auf dem alten Anwesen der Familie Nadias, werden wir in Kunduz wohnen.

Die Nennung seines Namens allein reicht aus, schon sind bei Nadia und Mirwais die alten Geschichten da – wie er das Tintenfass auf dem Kopf seines Lehrers zerschlug, wie er die Schuhe der Schwestern in den Bach warf, damit sie nicht weggehen konnten, wie er ihnen die Burka runterzog. Heute sind seine acht Geschwister über die Welt verteilt. Nur er und seine Schwester sind geblieben, konnten weder zur Beerdigung der Mutter in die USA noch zu der des Bruders nach Deutschland reisen. Mit seiner jungen Frau und seinen zwei Töchtern hat er Kunduz nicht hinter sich lassen können und lässt sich, sagt er, von seinen Frauen das Geld aus der Tasche ziehen, ein gutherziger Mann, der nur manchmal warnt:

»Meine Taschen haben Augen.«

Aber jeder weiß, dass er auf diesen Augen blind ist.

Unzerstörbar auch durch den Krieg: das Wohlwollen.

»Und die Familie? Und daheim? Und das Befinden?«

»Jetzt ein Tee! Und bitte bleiben Sie zum Essen! Bitte tun Sie uns die Ehre an!«

Ein Land, das gleichermaßen das Misstrauen wie das Mitleid kultivieren müsste, lässt sich seine Kultur doch nicht beschädigen durch etwas so Ahistorisches wie einen Krieg.

Gelernt habe ich: Wenn die Armen fragen: Möchten

Sie etwas essen? Ablehnen. Hätten sie etwas, stünde es schon auf dem Tisch.

Es sind die immateriellen Dinge, die eine Kultur ausmachen, die sanften Tugenden und Überlieferungen, die am leichtesten zerstörbar sind, die Würde etwa, das Gastrecht ... Wie soll man etwas so Selbstverständliches einem Menschen verständlich machen, der es nicht kennt?

Wir reden über das Kino in Kunduz.

»Was wäre, wenn ich den Frauen von Kunduz eine Filmvorführung schenken würde?«

»Wie soll das gehen?«

»Ich kaufe eine Kopie, wir kündigen einen Film nur für Frauen an und zeigen ihn als geschlossene Veranstaltung. Die Männer müssen draußen bleiben.«

Allgemeine Aufregung. Das hieße, nach zwanzig Jahren zeigt das Kino zum ersten Mal wieder einen Film, zu dem Frauen Zugang haben! Das Kino wäre kein Ort für Halbwüchsige und Männer, es wäre wieder eine Kulturstätte wie früher...

Doch Nadia warnt: »Die Frauen werden nicht den Mut haben, allein ins Kino zu kommen. Man wird sie daran hindern, sie werden sich nicht trauen.«

Welchen Anreiz also müsste man schaffen, um die Frauen zu überzeugen? Nadia meint:

»Wenn wir allerdings einen Kinderfilm dazu zeigten...«

Einen Kinderfilm. Die Mütter kämen mit ihren Töchtern, die Mädchen mit ihren Schwestern... Aber wie kommt man in Kabul an einen Kinderfilm? Die Chicken Street ist die einzige Straße, in der die Mitarbeiter der

Hilfsorganisationen, die Botschafts- und Institutsmitarbeiter, die Soldaten und ausländischen Wirtschaftsvertreter Souvenirs finden: Teppiche, Lackarbeiten, Silber, Lapislazulischmuck, Kästchen, alte Textilien und Waffen, aber auch Postkarten, CDs und DVDs.

Abends telefonieren wir mit Turab, dem Cousin und Verwalter. Für etwa 150 Euro wird er einen Frauenfilm besorgen können, den wir aus seinem Repertoire selbst aussuchen werden. Aber den Kinderfilm müssen wir selbst mitbringen. Es reicht, wenn er auf DVD vorliegt.

Also werden wir in die Chicken Street gehen und nach etwas Geeignetem suchen. Turab erkundigt sich inzwischen nach den richtigen Projektoren.

Vor vierzig Jahren hatten Nadias Eltern schon einmal einen Frauentag im Kino eingeführt. Wenig später wagten sich die Töchter sogar, heimlich in die Männer-Vorstellungen zu gehen. Es wurden einfach die hinteren Bänke freigelassen, und im Dunkeln zwängten sich die Mädchen hinein. Erst galt dies als Wagnis, zumal in der Provinz, dann setzten sich in der Folge solch kleiner subversiver Akte in den siebziger Jahren auch andere Freiheiten durch.

Alles Schöne ist dem Praktischen abgerungen. Besser, einen Garten anzulegen als eine Straße zu bauen? Doch. Nur so hat die Straße auch ein Ziel: den Garten.

Und schließlich hat das künstliche Schöne, das ohne Geschichte, am schnellsten seinen Weg nach Afghanistan gefunden, die Plastikblumen, die Öldruckposter der Bollywoodfilme, die Devotionalien ihrer Stars. Im Fenster unseres Hotels ein Plastikschwan, aus dessen

Rücken eine Trockenblume ihren Stängel empört in die Gardine reckt.

Wir verlassen die Stadt Richtung Paghman. Dieser kleine Ausflugsort in den Bergen, knapp zehn Kilometer vor Kabul, war die Sommerresidenz von Nadias Familie. Hierher kam man für zwei heiße Monate, genoss die Kühle des Luftzugs auf den Hügeln, spielte Volleyball, feierte Feste, besuchte das örtliche Theater oder das Kino in der Stadt. Bilder ausgelassener Sommerfrischler in einem vorhistorischen Afghanistan sieht man auf den alten Fotos.

Heutzutage wird die Straße nach Paghman bisweilen von Banditen belagert. Mirwais ruft deshalb vor unserer Abfahrt an:

»Ist die Strecke sicher? Können wir es wagen, mit unseren Gästen zu kommen?«

Er wird nicht sagen, wen er anruft, aber jemand muss da sein, der die Banden aus der Nähe kennt.

Paghman selbst ist eine lose Versammlung von Hütten, ein paar heruntergekommenen Steinbauten und einem Straßenzug mit Ladenställen, überwölbt von einem Triumphbogen französischer Ausmaße. Dieses frisch geweißte, mit Inschriften und Zierfriesen dekorierte Monument erinnert an die Unabhängigkeit von 1919. Es könnte nicht fremder stehen zwischen den angeschossenen Bauten ringsum, dem kleinen Monument mit der steinernen Flamme, dem Brünnchen und der Rabatte, die man zu seinen Füßen ausgerollt hat wie einen Teppich inmitten einer Nachkriegslandschaft.

Der Sohn des Gärtners der Familie wohnt noch am Ort, abseits, am Berghang, wohin ein Fußweg führt, der behutsam zu gehen ist, der Minen wegen. Der Sohn, der alles erlebt und alles überlebt hat, bewohnt ein gut geschütztes Anwesen über der Ebene, inmitten prachtvoll blühender Topfpflanzen und gestuft angelegter Beete. Oft hat er sich hier oben verteidigen müssen. Sein Sitz über der Ebene wurde wehrhaft, dem Hund hat der Hausherr beide Ohren kupiert, um ihn wilder zu machen. Die trostlose Kreatur zerrt bei unserer Ankunft unbändig an der Leine unter dem Baum. Im Hof steht eine Tonne mit der Aufschrift »Humanitarian«. Sie sammelt Abfälle.

Von dem alten Anwesen, das so voller Ferienstimmung lag, existiert nur noch der verwilderte Garten. Das Haus des Gärtnersohns dagegen ist noch das alte, aus soliden Lehmziegeln in den Hang gepresste, das er einst mit der Flinte verteidigte, dann aber »wegen der Frauen« aufgeben musste. Zu groß war die Angst, die nahenden Russen könnten sie vergewaltigen. Deshalb packten die Männer ihre Habe zusammen und zogen mit ihren Familien über die Berge in den Guerillakrieg, dann nach Pakistan, wo sie sich neu organisierten...

»...und dann haben wir die Russen geschlagen.«

Der Refrain. So kehrte er in sein altes Haus zurück, machte den Dachstuhl frei als Lagerraum für Brennholz und brachte seine neunköpfige Familie hier unter. Auf die Stadt blickt er mit Abwehr, und auch sein Sohn, ein melancholischer Halbwüchsiger, meint, hier möchte er bleiben, nicht in den Qualm der Stadt ziehen, nicht unter diese Menschen da:

»Dies hier ist mein Boden, meine Heimat, mein Erbe, was soll ich machen?«

Wir sitzen im Kreis auf bunten Kissen, unter Sonnenblumenbildern, zwischen politischen Plakaten, an deren Botschaften niemandes Herz hängt. Das Licht dringt durch schmal geschnittene milchige Glasscheibchen in den Raum, der eine Tenne mit Teppichen auf bloßem Erdboden ist, sosehr er Salon sein möchte.

Inzwischen ist der Alte, den Nadia nur als den Gärtnersohn kennt, selbst eine Autorität. Den ganzen Tag über kommen Menschen, die seinen Rat wollen, und wie ein Ombudsmann schlichtet er und rät. Seinen Sohn, den Versonnenen, hätte er lieber auf die Universität in der Stadt geschickt, »aber ich hatte die Bestechungsgelder nicht«. Und als der Junge mit dem Abschlusszeugnis in der Hand herumzulungern begann, machte er ihn kurzerhand zum Lehrer. Nun unterrichtet er die Kleinen und soll später einmal die Schule übernehmen.

Wissen und Autorität müssen entscheiden, nicht die Ausbildung, denn der Bedarf ist groß: Im letzten Jahr saßen dreißig Kinder in einer Klasse. Nun sind es schon je vierzig in sieben Klassen, besetzt mit Kindern aus den pakistanischen Flüchtlingslagern. Sie lernen Religion, Sprache, Mathematik, Zeichnen, Sport und Schönschreiben, bringen aber eine andere Sprache, einen anderen Sprechgestus und andere Kleidung mit, andere Sportprogramme und andere Ideale. Wenigstens hat man sich jetzt eine schwarze Schuluniform ausgedacht, die – anders als die braune Hemdhose aus Pakistan – ein veritabler Anzug ist und keine Erinnerungen weckt.

Ich frage den Junglehrer: »Hast du eine Frau?«

Er lächelt entsagungsvoll: »Du stellst mir eine grässliche Frage. Woher soll ich das Geld für eine Frau nehmen? Woher?«

»Die Leiche des Lebens hat kein Leichentuch«, er- gänzt der Vater, eine Metapher für Armut, aber eine Metapher, die größer ist als die Armut im Raum.

Das nächste Gastmahl erwartet uns nach Einbruch der Dunkelheit bei Khaled. Wir fahren in zwei Autos. Er überholt und lenkt dann die kleine Kolonne ganz selbst- verständlich zu seinem Haus. Wer wollte widerspre- chen?

Das unscheinbare Reihenhaus sieht nach einer Klein- familie aus. Aber an den Garderobenhaken passieren wir eine Phalanx der Burkas. Auch huschen farbig ge- kleidete halbwüchsige Mädchen durch das Haus. Aber wir werden keines näher zu Gesicht bekommen, sosehr wir oder sie sich das auch wünschen. Hier herrschen die Gebote des Fahrers und Familienvaters, und diese sind strenger als jene, die Nadia in ihrem Umfeld durch- gesetzt hat.

Es ist befremdlich, ein Land ohne seine Frauengesich- ter kennen zu lernen. Man deliriert über dem, was fehlt, stellt sich etwas vor, transponiert es ins Märchenhafte, halluziniert sich lauter altmodische Physiognomien her- bei, und was bleibt von diesen Farbnebeln? Düfte, auf- gerissene Augen zwischen Kajal-Linien, Viertelprofile, vom Schwung der abwendenden, fliehenden Bewegung verwischt.

Der Gastraum liegt da unter dem Protektorat eines gigantischen, vielarmigen Kronleuchters, in dem exakt eine Birne brennt. Auf den Weg zum Waschraum im un- teren Stockwerk begleitet mich ein Junge, der erst die Mädchen scheucht, die sich aber dennoch auf der Schwelle noch rasch umdrehen. Füchslein-Gesichter.

Als wir wieder aufwärts ziehen, ist es da, wo eben die Mädchen waren, mucksmäuschenstill.

»Wie viele Menschen leben in diesem Haus?«

»18«, erwidert Khaled, »nein 19.« Später ergänzt er »21«, dann vorwurfsvoll: »Es liegt an den Kindern. Man weiß nie genau, wie viele es gerade sind.« Dann lachend: »Aber auf drei kommt es ja auch wirklich nicht an!«

Reisplatten, Fleisch in Soße, Kebab, herangeschleppt von fast unsichtbaren Kräften. Als der Strom ausfällt, wird das mit keinem Wort kommentiert. Nur öffnen drei Männer schweigend die Displays ihrer Klapp-Handys, und der aufscheinende kalt-blaue Lichthof erleichtert die Orientierung, dann kommen zwei Gaslampen. Das Gespräch geht weiter:

»...mein älterer Bruder hat 19 Jahre lang als Soldat gekämpft. Nach seiner Verletzung ist sein rechtes Bein drei Zentimeter kürzer. Pharmazeut ist er geworden. Jetzt wurde er entlassen. Eine Rente gibt es nicht. Der Staat ist pleite. Wie soll man da leben? Wie soll man da glücklich sein?«

»Und wer in dieser Runde hat bei der Parlamentswahl gewählt?«

Alle blicken im Kreis. Niemand regt sich. In den Gesichtern Trotz, Stolz, Verlegenheit, auch Mutwillen, Zorn:

»Ich habe nicht einmal die Wahlkarte beantragt.«

»Wir sind so verärgert, dass nun wieder einmal die alten Kommandanten an der Macht sind. Die UN-Menschenrechtskommission hatte gesagt: Niemand darf sich wählen lassen, der Blut an den Händen hat. Und jetzt? Jetzt sitzen sie da! Stell dir doch nur mal vor: Für lange dreizehn Jahre bin ich mit Frau und Kindern nach Pakistan geflohen. Nun kommen wir zurück, und die sind wieder da! Die UN hat die Augen geschlossen vor den Drogen. Jetzt beginnen die Opiumfelder schon gleich hinter der Stadtgrenze von Kabul! Und im Norden sind unsere Drogenfahnder immer noch mit dem Fahrrad unterwegs!«

In den Fernsehnachrichten verliest man eben die Meldung von vier entflohenen, dann wieder eingefangenen Häftlingen aus dem Straflager von Bagram. Erst mit der Zeit habe ich gelernt, dieses Lager, von dem in Deutschland kaum je die Rede war, Guantánamo gleichzusetzen. Hier wird gefoltert, hier sterben Häftlinge, und viele werden von hier nach Kandahar oder Guantánamo weitergeschickt. Vor dem Fernsehbild amerikanischer Soldaten, deren Mienen voller Stolz sind über die Rückführung der Häftlinge, schweigt jeder im Raum.

»An einer starken Regierung hier haben sie alle kein Interesse, am wenigsten die USA.«

»Und die Korruption ist so tief verankert, dass sie eigentlich schon in die Verfassung gehört.«

»Kennt Ihr den?«, ruft einer dazwischen: »Treffen sich Bush und Karsai. Sagt Bush: Du musst die Korruption abschaffen. Gut, sagt Karsai, ich schaffe sie ab. Was gibst du mir dafür?«

Man lacht nicht, man lächelt. »Es ist nicht mein bester Witz«, verteidigt sich der Erzähler.

Mirwais bringt die Wegezölle zur Sprache, die jeder nimmt, so dass am Ende des Transports die Ware aufgezehrt ist oder unerschwinglich.

»Und warum habt ihr bei der Präsidentschaftswahl Karsai gewählt?«

»Weil er das kleinste Übel war. Und weil sein Vater im Widerstand kämpfte.«

Pause. Dann sagt Khaled unvermittelt: »Ich bitte um Entschuldigung, weil ich heute so still bin, aber mein Onkel starb gestern.«

Einer fragt nach der Ursache, aber Khaled sagt nur:

»Woran? Er starb aus Kummer über das, was aus diesem Land geworden ist.«

Der Alte in der Ecke mit dem aufmerksamen Gesicht unter dem Turban hört nur zu, kommentiert allenfalls mimisch. Er war 37 Jahre lang Taxifahrer auf den Straßen von Kabul. Zuvor ist er für die königliche Familie gefahren, und deshalb kann er so überzeugend sagen: Den Afghanen wäre der König – als Klammer für alle Stämme und Institutionen, als die Instanz, auf die man sich einigen kann – am besten bekommen. Aber das haben die USA verhindert.

Der König sitzt im Rollstuhl. Hochbetagt ist er, langsam spricht er und bedeutet de facto wenig, nimmt aber noch Militärparaden ab, um den Schein zu wahren. Mehrere im Raum stimmen ein:

»Ja, der Vater des Volkes ist nur der König!«

»Nur der König!«

Jeder, in jedem Alter, scheint etwas von Politik zu verstehen.

Daneben aber kennt der alte Taxifahrer die Geschichten aller Taxifahrer. Ich frage:

»Sind Kinder in Ihrem Wagen geboren worden?«

»Und ob, und weil keine Hebamme da war, habe ich ein Kind auch mal ganz allein zur Welt gebracht.«

»Sind Menschen gestorben in Ihrem Wagen?«

»Manchmal hat man mir im Krieg die Verletzten, auch die im Koma, hinten in den Wagen gelegt. Ja, da sind einige nicht mehr aufgewacht.«

»Und haben Sie Unfälle verursacht in diesem Verkehr?«

Als Antwort wählt er den vollständigen, statuarischen Satz: »Ich habe in 37 Jahren nicht das Blatt eines Kleides berührt!«

»Und Sie?«, frage ich den Polizisten in Zivil, »halten Sie sich an die Verkehrsregeln?«

Er lächelt diplomatisch: »Ich nutze meine Uniform aus.«

Da hebt Mirwais den Finger, damit wir schweigen: »Das muss ich sehen!«

Zum zweiten Mal wenden sich alle dem Fernsehschirm zu. Ein Sketch. Alles lacht bereits, bevor viel passiert ist. Am Ende handelt es sich um eine Szene mit Boccaccio-Humor: Der alte Arzt empfängt Mutter und Tochter. Eigentlich geht es um die Mutter, aber der Arzt hat nur Augen für die Tochter und führt alle möglichen Untersuchungen an ihr durch, während er die Mutter ihren Schmerzen überlässt. Alles lacht. In der besten Sequenz lässt der Arzt erst die Mutter, dann die Tochter »A« sagen. Es wird ein Kanon daraus, den sie zu dritt anstimmen. Schließlich stellt sich heraus, der Arzt war kein Arzt, sondern der Nachtwächter. Am Ende wird das Lachen aller zum Lachen der Erkenntnis, und das ist von vollendeter Unschuld.

Wir schalten um auf die Parade der Minister. Alle im Raum gestikulieren in den Fernseher hinein. Man kennt sich:

»Schau, der Verteidigungsminister, der Korrupteste von allen! Ihm gehört halb Kabul!«

Danach sieht man den Gesundheitsminister in einem Krankenhaus von Bett zu Bett gehen. Er verteilt Geld in Umschlägen.

»Warum im Umschlag?«

»Weil es so wenig ist.«

Dann der Energieminister: »Ich bin stolz, dass es Strom gibt.«

Johlen im Saal: »Wir haben den Mast vor der Tür, aber Strom haben wir trotzdem nicht. Der ist geschickt: Jeder, der ein Fernsehbild hat, hat auch Strom, aber fast alle kriegen ihn durch den Generator. Das ist die Wahrheit, und die sagt er nicht.«

Alle raunen mit ihrer jahrzehntelangen Routine des Politiker-Misstrauens. Ich frage nach der Macht des Verteidigungsministeriums.

»Ach, auch das haben die USA kleingekriegt. Alle, die in der Militärausbildung waren, hat man entlassen. Bei Katastrophen, Bränden oder Erdbeben sind wir verloren! Wo ist unser Stolz? Wo ist unsere Eigenheit? Gut, wir verwenden im Fernsehen das Wort ›terroristisch‹ nicht, wir sagen ›zerstörerisch‹. Das ist ein Anfang, das andere Wort überlassen wir den Amerikanern.«

Wieder bleibt es an Mirwais, das Gespräch abzuschließen. Er tut es mit der alttestamentarischen Autorität eines Hiob:

»Gott liebt uns, deshalb macht er uns so viele Probleme.«

»Wenn ich in Deutschland eine Einladung absage«, sagt Nadia, »brauche ich nur anzugeben: Ich habe ein Projekt. Wenn ich es in Afghanistan tue, sage ich: Ich habe Gäste.«

Der Hippie-Trail, das ist ja auch unsere, eher ungeliebte Vergangenheit. Wollen wir uns oder unsere Eltern so sehen, so suchend, in Fellwesten und Rauchschwaden gepackt, auf dem Wege der Bewusstseinserweiterung, im Versuch, sich zu transzendieren?

Auch die Jugend aus dem Westen fiel in dieses Land ein, mit wenig Verständnis für das, was seine Liberalität damals ausmachte. Auch sie waren Kolonialisten, die hier die Gebrechen ihrer Gesellschaften kompensierten und nicht viel danach fragten, was ihr Freiheitsmodell einem Land bedeutete, das gelernt hatte, das Verhältnis von Tradition und Aufbruch so anders zu denken.

Dass Drogen verfügbar und nicht illegal waren, machte die afghanische Gesellschaft der Sechziger und Siebziger noch nicht zu einem Reich, in dem nach Hippie-Vorstellungen gelebt und geherrscht wurde. Sie bewegten sich in einem Land, das sie nicht verstanden und das sie nicht verstand, und wurden hier Dropouts, Clochards, Bag Ladys, Geldbringer, aber würdelose. Manche sind für immer geblieben. Schatten ihrer alten Träume, hängen sie noch immer bärtig, zerlumpt und süchtig an irgendwelchen Nebenstrecken des Drogenverkehrs. Einen traf ich an einem Straßenposten nicht weit vom Oxus. Er lehnte dort instabil am Geländer und warf lange, welke Blicke in die Landschaft, vor sich hin murmelnd wie ein Sufi.

Der Europäer, der Amerikaner, sie wirken mit ihrer Freundlichkeit und Kameradie, als seien ihnen die Abstände zwischen den Menschen immer zu groß vorgekommen. Sie haben es gerne herzlich, verbindlich.

Dann stehen sie da, in der afghanischen Fremde, und finden die Menschen um sich herum noch fremder, noch in sich versunkener und nach all der Zeit der Kriege und der Invasionen und Einmischungen noch misstrauischer, als sie vorausgesetzt hatten.

Trotzdem zeigen die Afghanen eine Zugewandtheit, die im Westen fehlt. Das ist nicht Bedürftigkeit, auch kein Erschleichen von Vorteilen. Eher schafft der Respekt vor der Unversehrtheit des anderen Nähe, eine Wärme, die wie grundlegendes Wohlwollen ist und mit der Tatsache korrespondiert, dass man ein Land immer erst besser fühlen als darüber Bescheid wissen kann.

Wir gehen in die Chicken Street auf der Suche nach einem kindertauglichen kurzen Film ohne zu viel englischem Text, damit er auch verständlich sei. Am Ende verlassen wir den Laden mit einer Laurel-and-Hardy-Kollektion, aus der wir am Abend einen geeigneten Halbstünder auswählen werden. Die Zwischentitel müsste Nadia mit Mikrophon in den Saal sprechen. So könnte es gelingen. Dennoch bedenklich, wie sich ein Laurel-and-Hardy-Film verändert, wenn man ihn mit den Augen eines afghanischen Kindes sieht. Stan Laurel als Frau – geht das? Er liegt auf den Schienen – wird das verstanden, ist das zumutbar? Wird man erkennen, dass die Gewalt als Slapstick nicht realistisch ist?

Afghanen schütteln dir nicht die Hand, sie drücken sie auch kaum, vielmehr ergreifen sie deine Hand mit beiden Händen, nehmen sie in ihre Obhut, bergen sie bei sich. Anschließend lassen sie sie frei und führen die eigene Rechte zum Herzen, damit du weißt, da kommt die Geste her, da will sie hin.

Der kleine Junge, dem Christian morgens ein Stück Schokolade geschenkt hat, wartet abends schon an der Straße: »Hey, Mister. Where is my chocolate?«

Nachts haben wir Hausarrest, vor Einbruch der Dunkelheit ist es zu gefährlich nur auf den Seitenstraßen, nach Einbruch der Dunkelheit ist es zu gefährlich auf allen Straßen. Drinnen fällt so oft der Strom aus, dass man nicht am Stück lesen kann. Wir bewegen uns im Finsteren, durch den Garten huschen Schritte, dann springt der Generator wieder an.

Morgens erhebt sich aus dem Blumenbeet ein Soldat, trinkt am Gartenschlauch, schultert die Kalaschnikow und patrouilliert. Der neue Tag kommt über die Lehmdächer, durch den Dunst, der alles pastellfarben malt.

Auf unserem Weg nach Kunduz verlassen wir die Stadt Richtung Norden. »Ist das Herz groß, reicht der kleinste Raum«, sagen die Afghanen. Weil wir zu sechst im Wagen fahren, zwängt sich Mirwais zwischen die Gepäckstücke, er hockt dort für Stunden, fast unsichtbar, und verwandelt sich wieder in den Krieger.

Wir passieren die »Asia Wedding Hall«, eine dieser neuen Einrichtungen für Menschen mit beengtem Wohnraum, die nun hier – Frauen und Männer in getrennten Sälen – ihre Hochzeit feiern können. Darauf folgt das »Top World Gym« mit einem handgemalten Arnold Schwarzenegger, dessen Brustkorb hier noch lächerlicher deformiert erscheint als in Natur, wenn man sie so nennen will.

Dann eine Sequenz von pakistanischen Bauten mit Fassaden, die mit Teppichmustern bemalt, mit Zinnen gekrönt, mit farbigen Kacheln und vielfarbigen Säulen dekoriert wurden. Dann die Marktstände mit über Querbalken hängenden Autofellen, Auspuffrohren, Fahrradschläuchen. Dazwischen tragen die Marktverkäufer in ihren Tarnanzügen die Kleider des Krieges auf.

An den Berghängen scheint die Zerstörung geringer. Hier liegen die Würfel der Lehmbauten instabil am Abgrund. Das nächste Erdbeben – und das jüngste mit Epizentrum in Pakistan war bis hierher spürbar –, der nächste Steinschlag, müsste alles in die Tiefe reißen. All diese Schwankungen, Verrutschungen, Erschütterungen, auch die Lawinen, verschieben die noch vorhandenen Minen und lassen geräumte Felder wieder bedenklich werden.

Am schwersten wiegen die Wasserprobleme, denn jeder Liter muss aus dem Tal heraufgeschleppt werden. Beige oder ockerfarben liegt jede Siedlung, kalt und staubig ist die Luft, überall erhebt sich von den Fassaden, auch am Straßenrand und aus der Landschaft heraus, Massuds melancholisch brütendes Gesicht mit den hängenden Lidern, dem Dichterblick, der keinen Feldherren verrät.

Dieser Charismatiker der jüngeren afghanischen Geschichte eignet sich wie kein anderer zur Glorifizierung. Doch hat er nicht schließlich gemeinsame Sache mit den Russen gemacht? Haben nicht seine Truppen, als sie Kabul erreichten, geplündert und vergewaltigt wie die der anderen Söldnerführer? War er in dieser Hinsicht nicht wirklich, wie Mirwais meint, »ein Feldherr unter anderen«?

Einst tranken die Frauen vor der Abreise nach Kunduz nicht, weil es auf der Strecke kaum eine Möglichkeit für sie gab, auf Toilette zu gehen. Heute bilden die Minen die größte Gefahr für alle, die die Straße verlassen wollen.

Wir fahren in eine leere Landschaft. In den Ebenen liegen die Ziegelbrennereien, die mit ihren Umfassungsmauern und Schornsteinen aussehen wie alte Tempelanlagen. Hohe Schlote verraten die pakistanisch geführten Fabriken, wo Tagelöhner Schwerstarbeit zu Niedrigstlöhnen finden. Wo heute eine wüste Ebene liegt, streckten sich früher die Auen des Weinanbaus. Man sprach vom grünsten Flecken dieser Region.

Aber die Zerstörung hat Natur und Menschenleben gleichermaßen verwüstet, und das gezielt. Die Tadschiken wurden von den Taliban in dieser Gegend regelrecht ausgerottet. Wer überlebte, floh nach Pakistan. Zurück blieben unfruchtbare Felder, verwüstete Bewässerungsanlagen. Heute sieht man in diesem Tal fast nur Zerstörtes, versteppte Felder, niedergebrochenes Mauerwerk, Ruinen in Rosa und am Wegrand die bunten Fahnenbüschel der Märtyrergräber. Die Luft wird klarer.

»Wartet nur, der Wein wird wiederkommen.«

Die sowjetischen Panzer, die man immer noch überall sieht, werden weiter ausgeschlachtet. In ihrem Innern finden manchmal Obdachlose einen Schlafplatz.

Manchmal werden auch Metallteile von ihnen zu Dosen verarbeitet. Bisweilen liegt so eine Kriegsmaschine da wie das Zentrum einer archäologischen Grabung. Die Kinder forschen und demontieren. Sie erarbeiten sich technischen Verstand. Unter den Taliban war selbst der Verkauf kleiner Batterien verboten. Sie hätten ja für Walkie-Talkies verwendet werden können. Heute fasziniert Kinder alles, was vom Strom zum Zucken, Leuchten, Schießen gebracht wird.

Unter den Unterständen, die den Markt ersetzen, bewachen Kinder das wenige Obst. Nur Weintrauben gibt es im Überfluss, kleinbeerig, aber in allen Farben. Daneben türmen sich Kartoffeln, Eier, blasses Spritz- und Sandgebäck, rote Zwiebeln, Peperoni, Radieschen, Mandarinen, gesalzene Nüsse, Melonen, kleine Bananen und Cracker.

Im Grunde aber dreht sich alles um das Fleisch. Zwischen den Ständen der Schlachter, die noch immer halbe Tiere auf den Schultern heranschleppen, rattert ein Kinderkarussell. Ein Rad auf einem Mast hält hier drei Holzstumpen, auf denen die Kleinen, von der Kraft eines Arms mühsam angeschoben, im Kreise fliegen. Gleich daneben wird am Boden zwischen den Ständen gerade ein Kalb geschlachtet. Der Fleischeinkauf ist Männersache, und Männer können auch einen ganzen Abend lang über den richtigen Reis und seine Zubereitung reden.

Vorne und hinten gefesselt wird das Kalb am Boden niedergerungen und mit der Kehle in den Staub gedrückt. Während der Schlachter das breite Messer mit dem Schwung eines Dirigenten durch die Kehle zieht, treten die Augen des Tieres vor, erst, als fordere ein Punkt in der Ferne seine ganze Aufmerksamkeit, dann, als wollten sie sich aus den Höhlen losreißen. Sonst ist jede Bewegung eingefroren. Nur der Schwanz, dessen Quaste sich durch die Beine der im Kreis stehenden Gaffer geflochten hat, pocht rhythmisch auf den Boden, inständig und beharrlich. Dann treten abrupt die Läufe ihre Flucht an, zucken erst, dann galoppieren sie, erst langatmig, dann immer trippelnder. Auch hebt sich der Kopf, als wolle er den Halswirbel dehnen, hoch, die Augen ertasten die Ferne, hoch.

Jetzt kommt ein Seufzer, jetzt ein röchelndes Schluchzen. Die Agonie ist lang. Das Kalb senkt seinen Kopf, um ihn abzulegen, gerade über dem Graben im Boden, in den das Blut aus dem Hals jetzt in breiten Schwaden strömt. Der Schwanz verlangsamt seine Bewegung, der Blick senkt sich nieder auf den Spiegel des eigenen Blutes. Da kommt er zur Ruhe, das Pathos erlischt.

Die Gesichter ringsum fragen, ob noch Leben im Leib ist. Ganz sachlich blickt das Kalb in seinen Tod. Ganz still stehen die Gaffer. Niemand lacht. In jedem Sterben ist etwas Symbolisches.

»Das beste Fleisch ist das Fleisch, in dem kein Tod ist«, sagt Khaled. Aber gibt es Fleisch, in dem man nicht die Todesangst des Tieres mit isst?

Sie werden fast alles an diesem Leichnam verzehren, verarbeiten, verbrauchen. Die Metamorphose der lebendigen Kreatur zum Lebensmittel hat begonnen, und etwas Almosenfleisch wird auch übrig bleiben. Einer, der tagelang aus den Bergen nach Kabul gelaufen ist, wieselt heran. Wegzehrung führte er nicht mit sich.

»Aber wo ist Ihr Proviant?«

»Wer aus den Bergen herunterläuft, braucht keinen Proviant. Die Strecke hinab ist fruchtbar.«

Unterdessen hat das Karussell seine Höchstgeschwindigkeit erreicht. Ein Alter greift immer wieder zwischen die Stäbe und gibt dem Gerät neuen Schwung. Ganz verwaschen vom Schwung der Bewegung sind die Kindergesichter, kein Schrei erklingt. Die Kinder absolvieren das Gerät mit Lust, aber auch wie eine Prüfung. Von einem Transistor auf der Spitze eines Reifenstapels setzt jetzt Musik ein, ohne Bässe und mit klirrenden Höhen, die Weltmusik der Schnulze.

Unterdessen haben die Männer das Kalb bereits in zwei warme Hälften geschnitten. Die eine liegt im Staub, die andere will am Haken nicht halten, er zieht lange Risse in das Fleisch, bis der Kopf abgewinkelt im Dreck zu liegen kommt, die klaffende Halswunde den Gaffern vorwurfsvoll hingestreckt.

Zwei ankommende Männer küssen sich zur Begrüßung zwischen den tropfenden Tierhälften, die nächste Schicht der Kinder jauchzt auf dem Karussell, die Musik aus dem Transistor schwenkt um auf Bollywood, und am Boden haben die Halbwüchsigen jetzt ein Spiel mit Wurfringen aufgebaut. Wer gewinnt, darf sich einen Schöpflöffel Suppe aus einem Kessel nehmen, der in ihrer Mitte steht.

Das also ist ein Feiertagsmorgen an der afghanischen Landstraße: das Archaische, das Festliche, das Mutige, das Unschuldige und Naive, das Kindliche und das Pragmatische ineinander, verteilt auf alle Altersgruppen, das Mischungsverhältnis so anders als in unserer Welt, die moralischen und geschmacklichen Konventionen so fremd, wie wir es kaum denken können, und zugleich liegt ein Zauber über der Szene und den Formen, in denen sie das Leben interpretiert.

Zuletzt kommt auf einem knatternden Moped noch ein bärtiger Krieger herangefahren, der auf seinem Sozius einen riesigen Plüschlöwen transportiert. Der Fahrer verschwindet fast im wolligen Fell des Tieres, das sich mit seinen Tatzen von hinten über ihn beugt. Er bremst kurz ab, um das frisch geschlachtete Vieh zu taxieren. Die Kinder lassen das Karussell im Stich und stürzen heran. Ein kleines Mädchen lässt den Löwen Pfötchen geben. Da gibt der herbe Mann wieder Gas und fährt mit seinem Plüschlöwen dem Hindukusch zu:

»Das ist nur der Jahrmarkt-Fotograf«, sagt ein afghanischer HNO-Arzt, der nicht solche Aufmerksamkeit bekommt, »mit seinem mobilen Motiv.«

Ich frage den etwa fünfzigjährigen Arzt, wie sein Leben jetzt weitergehen soll. Er ist gut ausgebildet, und Atemwegserkrankungen gehören zu den verbreiteten Gebrechen in dieser Gegend des Smogs.

»Wir haben uns dreißig Jahre auf den Frieden gefreut«, sagt er achselzuckend. »Jetzt wissen wir gar nicht, was das ist und was man damit anfängt.«

»Aber Sie haben überlebt!«

»Ja, und ich habe mein Blut auf der Handfläche getragen!« – Die afghanische Wendung für »Ich war in äußerster Lebensgefahr.«

Die Siedlungen der Ebene lagern da wie flache Kastelle. Alles ist der Natur abgetrotzt, alles muss sich vor dem Krieg bewähren, unauffällig und zugleich wehrhaft sein. Manchmal ist die Monotonie so drückend, dass

Blumen und Früchte wie Schreie wirken, wie übertriebene, künstliche Effekte.

Ich frage einen Nomadenjungen: »Warum hast du einen grünen Fleck auf der Nasenwurzel?«

»Damit man mich wiederfindet.«

»Und woher, glaubst du, komme ich?«

»Aus China.«

Er will wissen, zu welchem Zweck ich hier bin.

»Ohne Zweck«, sage ich, »ich reise bloß.«

Da dreht er sich zu seinem Freund und sagt:

»Schau mal, der erste Tourist.«

Ein Mädchen auf dem Straßenmarkt bittet uns, zum Tee in ihr Haus zu kommen.

»Aber was wird deine Mutter sagen?«

»Meine Mutter ist tot.«

Wir lehnen ab, erklären, wie weit wir noch fahren müssen. Für den Weg schenkt mir das Mädchen ein Ei. Wenn ich ihr jetzt etwas gäbe, hätte ich ihre Geste verdorben. In einer kulturellen Sphäre wie der unseren, wo alles auf Tausch basiert, muss man das Empfangenkönnen eigens kultivieren, in Gesten, Worten und Werken.

Auch im Wagen plärren Liebeslieder aus dem Radio. Ihre Texte schreiten das ganze Spektrum liebenden Sprechens ab, von »Du bist verheiratet, doch ich liebe dich« bis zu »Mein Liebling, komm gib mir mal die Salbe für meinen wehen Zahn«. Dabei erreicht die Musik die schwindelnde Höhe männlichen Fistelgesangs, und am Steuer erzählt Khaled so muntere Geschichten, dass Nadia ihn aufzieht: »Du klingst, als hättest du zwei Radios verschluckt.«

Alle Orte, durch die wir kommen, greifen mit ihren Namen in die Geschichte: Einer heißt nach einem Widerstandskämpfer gegen die Engländer, ein anderer nach einem Herrscher, der nur neun Monate an der Macht war, Analphabet, aber weise, ein dritter nach einem tapferen Mudschahed. An manchen Häusern steht außen das Wort »Cleared« – von Kämpfern, von Minen oder Bewohnern?

Ein Dorf trägt den Namen »Massenmord«. Seine Einwohner waren gegen die Russen. Die Männer kämpften, die zurückbleibenden Frauen und Kinder, siebenhundert an der Zahl, wurden von den sowjetischen Soldaten getötet. Als die Männer zurückkehrten, fanden sie ihr Dorf als Mahnmal eines Massakers vor. Sie entschlossen sich zu bleiben und leben noch heute in »Massenmord«.

Deutsche Hilfsprojekte erkennt man daran, dass in einigem Abstand vor ihnen ein Verkehrsschild aufgerichtet wurde und zum Beispiel warnt: Fußgänger überqueren die Fahrbahn. Was soll ein Afghane denken? Das tun sie doch unaufhörlich. Auf dem Schild ist dann ein Mädchen mit fliegenden Zöpfen zu sehen. Es sind die Ersten, die ich in ganz Afghanistan zu Gesicht bekomme. Denken die afghanischen Frauen nun: Achtung! Deutsche Gretchen überqueren die Fahrbahn?

An ihrer Stelle wird jetzt erst einmal eine Stafette frisch gehäutetes Vieh über die Straße getragen. Vor ihrem Anblick hat kein Schild gewarnt, aber ihr Blut sprenkelt die Fahrbahn.

Hier kommen die Flüsse kalt und grün aus den Bergen, den Ausläufern des Hindukusch, der sich lehmgelb, dann felsgrau, dann schneebedeckt vor uns aufrichtet. In den arkadischen Hochebenen säumen die Stände der Schlachter die Straße, die Obstverkäufer kommen von weit her und siedeln, wo die Flüsse ein paar Meter fruchtbarer Erde zu beiden Seiten angeschwemmt haben und auf schmalen Streifen Obst und Nüsse wachsen. Ihre Häuser liegen oft hoch, im Kargen. Aber heute zum Ead, der ganze drei Tage währt, bringen sie ihre Kinder mit, die festlich geschmückt sind, bestickte, mit farbigen Borten, sogar mit Samt abgesetzte Kleidchen tragen, auch dicke Pullover und Westen. Ein einziges Kind, das so aus der Tür einer Lehmhütte tritt, wirkt wie ein kleiner Farbrausch in dieser Landschaft.

Und so kaufe ich in einem Lädchen ein altes, reich besticktes Kinderwestchen, das in den vierziger Jahren in Zentralafghanistan gefertigt wurde. Auf orangefarbenem Grund sind die langen Ärmel, Hals- und Knopfleisten blau gekettelt. Kleine runde Spiegel wurden in die aufgenähten Ornamente und Tiermotive eingesetzt, Blüten und Vögel bedecken die Zierleisten in opulenter Farbenpracht, kein Muster gleicht dem nächsten, und die ganze Arbeit ist so fein, so sorgfältig und detailversessen vollendet worden, dass man sich lange mit diesem Kindertextil befassen kann, so sehr wie mit seinen wund und fadenscheinig gewordenen Stellen, seinen kleinen Flecken. Die müssen bleiben. Unvorstellbar, was für ein Kind in diesem Westchen seinen Weg gegangen sein muss, prachtvoll gekleidet wie ein indisches Prinzchen, eine südamerikanische Prinzessin, ein Fundevogel.

* * *

An einem Hang ein Panzerfriedhof mit gut hundert ausgebrannten, demolierten, auch ausgeschlachteten Panzern, streng bewacht. Wozu? Ein Museum soll daraus
werden. Wozu? Noch kann man sich in diesem Land
keine Generation vorstellen, die sich im Anblick von
hundert zerstörten Panzern an das erinnern müsste,
was Krieg bedeutet.

Aha, die Felsen bekommen Profile und Kontur, die
Schluchten beginnen, die Luft riecht plötzlich nach
Berg, und auch das Wasser tut es. Zwei halbwüchsige
Männer gehen Hand in Hand zum Picknick bei einem
Wehr, wo sie sich auf einem kleinen freien Rasenplatz
niederlassen. Sie haben Fladenbrot bei sich und Mandeln. Ringsherum ist nichts zu sehen, was nicht vor tau-
send Jahren genauso hätte sein können, und selbst die
Mandeln sind umschwärmt von Geschichten. Ich denke
an Nadias Erzählungen und den melancholischen Satz
von Saira Shahs Vater, auch einem Exilierten:
»Ich habe euch Geschichten gegeben, die ein Volk ersetzen. Sie sind euer Volk.«

Auch hier draußen, auf dem Weg über den Salang-Pass,
sieht man viele Häuser mit fehlenden Dächern und von
Einschusslöchern gezeichneten Fassaden, und auch hier
wurde das Kriegsgerät direkt in die wieder aufgebauten
Häuser integriert: ein Gesims aus abgesägten Mörser-
granaten, eine Fensterbank, verziert mit leer geschosse-
nen Patronenhülsen.

Die Ströme kommen in breiten Fächern durch das
Tal. Die Höfe aber liegen wie Kastelle in der Wand, Fa-

miliengehöfte, fest eingemauert und an den Fels gekrallt. Kein Fremder wird hier Fuß fassen. Die Familien heiraten untereinander, manches wunderliche Kind kommt uns auf den Straßen entgegen.

Winzige Fußwege führen über die Bergkämme und hinab zu der einen Stelle, wo eine Behelfsbrücke – oft nur eine Panzerkette, die man über drei Stahlträger geworfen hat – den Zugang zur Straße erlaubt.

Diese wahren Felsennester liegen vielleicht fünfzig, vielleicht hundert Meter über dem reißenden Strom, der in einer Schlaufe oder auf einer Landzunge die Anpflanzung von Obst- oder Nussbäumen erlaubt. Im Sommer halten die Reisenden hier, breiten eine Decke aus, waschen sich die Füße im kalten Wasser, essen Maulbeeren. Sie bauen selbst den kargsten Ort zu einem Hain für ihre bescheidenen Vergnügungen aus.

Mirwais warnt immer wieder:

»Ihr fallt auf, ihr müsst achtsam sein! Geht nicht allein!«

Wir vergessen in der Idylle die Gefahr. Sein Gesicht aber liegt in Sorge. Die Verantwortung für unser Wohlergehen trägt allein er, niemand sonst von uns, am wenigsten Nadia und ich.

Wir wissen nie, wovon seine Sorge gespeist wird, ob sie akut ist oder vorauseilend. Der Ernstfall ist banal. Eben hat eine Landstraße noch im Sonnenlicht gelegen. Im nächsten Augenblick liegt sie ebenso da, aber ein Wagenwrack raucht, Körper liegen im Graben.

Und selbst, wenn es nur die »einfachen Überfälle« wären, spontaner Raub, Hit and Run – nie weiß man, was und warum es eskaliert und bis zu welchem Ausmaß.

Vielleicht wird das Berufsbild des Straßenräubers hier schon inspiriert von der Landschaft. Diese Männer kennen nichts als sie, sie haben in ihr und dank ihrer überlebt. Wie sollen sie sich die einzige Kenntnis, die ihnen einen Vorsprung anderen gegenüber gewährt, nicht zu Nutze machen?

Wir schrauben uns die Berge hoch bis in die dreitausenddreihundert Meter des Salang-Tunnels. Kein Wunder, dass vom Flugzeug aus keine Besiedlung zu erkennen ist. Als veritable Felsennester sitzen sie hier, die Dörfer, ineinander geschachtelte, übereinander getürmte, verkeilte Behausungen in kubischen Grundformen.

Es sind Komplexe, deren innerer Zusammenhang von außen kaum erkennbar ist. Viele Meter tief in der Schlucht grasen vielleicht Rinder am Fluss. Von wo werden die Menschen herabsteigen, um sie zu führen? Man ahnt es nicht. Auch die Sammler homöopathischer Kräuter steigen ins Tal, die Holz suchenden Kinder, selbst eine Burka auf High Heels hat sich hierher verlaufen. Auch Wölfe, Schakale und Leoparden sind unterwegs.

Einst wuchsen an den Hängen Himalaja-Zedern, Fichten, Tannen, Lärchen, Eichen und Birken. Doch inzwischen hat man diese Hänge weiträumig abgeholzt. In den schmalen Tälern werden immer noch Haselnüsse und Pistazien, Walnüsse und Maulbeeren angebaut, wachsen Aprikosen-, Pfirsich-, Apfel- und Birnbäume, auch Rosen, Geißblatt, Weißdorn, auch Iris und Tulpen.

Mirwais kennt diese Landschaft nicht nur, weil er sie so oft befahren hat. Den Krieg hat er nicht zuletzt in

diesen Bergen überlebt, hat ihre Rücken zu Fuß überquert, weil der Salang-Pass zu gefährlich oder geschlossen war. Er hat die Minenfelder durchquert, sich von
Maulbeeren ernährt und manchmal in den hoch gelege-
nen Dörfern Brot verkauft, das er von weit heran-
schleppte. Es waren oft Frauen, Kinder und Flüchtlinge,
die sich auf diese Weise um die Versorgung kümmerten.
Auf der anderen Seite des Felsrückens verkehrten dann
wieder Autos. Doch vor Verlassen jedes einzelnen Stam-
mesterritoriums wurde umgestiegen, zur Sicherheit.

Wer gedacht hat, die Gesichter könnten nicht essenziel-
ler und schlackenloser werden, den überraschen die
Menschen in den Bergen: Wurzelholz-Physiognomien,
konzentriert und ins Innere gezogen, mit minimalisti-
scher Mimik, unter dem hellen Turban verdunkelt wie
von Wetter und Rauch, dann aufklarend zu einer Schönheit des Ausdrucks, die uns schon fesselt, bevor sie zu
reden beginnen.

Manchmal der Eindruck: Die deutschen Gesichter beleben sich erst, wenn sie reagieren oder zu einer inneren
Bewegung ausholen. Die afghanischen Gesichter sind
selbst unbewegt so voller Leben, als könnte Erfahrung
transparent werden.

Und dann liegt am Wegrand plötzlich ein Hain mit
Bachlauf und Obstbäumen und Rasenflächen, mit ge-
schnitzten Vögeln im Wasser und polierten Schrottpan-
zern, wie sie so nur viele Kinderhintern blank kriegen.

Auch ein Mäuerchen ist da und ein Unterstand, um
den Gebetsteppich auszulegen, und dann kommen
nach und nach, wie geisterhaft, Schalen mit Weintrau-

ben und Mandeln, mit trockenen Erbsen und Pistazien und frischem Wasser. Woher? Das alles kommt von da oben, wo der alte General in seinem Haus sitzt, der auch diesen Platz gestiftet und die Moschee aufgebaut und dadurch so manchem in der Gegend Arbeit gegeben hat.

»Ihr müsst ihn besuchen! Ihr müsst ihn wenigstens auf der Rückfahrt besuchen!«

Die Äpfel strotzen vor Saft, jede Frucht, die von hier kommt, ist der Erde abgetrotzt, jede Pflanze hat mühsam ihre Säfte in die Äste und Zweige gepresst, hat jeden Tropfen Saft gekeltert, ehe sie ihn in die Blüten und Blätter und dann in das Fruchtfleisch schickte. Auch die Süße dieser Früchte scheint der Not, dem Kampf, dem Leiden der Hervorbringung und Gewinnung abgerungen.

Der kleine Junge Zalmai, der hier den Emissär des ehemaligen Generals macht und die Tabletts jongliert, er ist dort oben für die Ziegen, Hühner und Schafe verantwortlich, für Äpfel, Walnüsse und Pflaumenbäume, und zur Schule muss er auch noch, wo er mit fünfzig teils älteren Kindern in einer Klasse Dari, Mathematik, Algebra, Geographie und Geometrie lernt.

Die älteren Jungen sitzen auch deshalb in seiner Klasse, weil sie aus dem Krieg kommen. Als sie Zalmai den Unterschied zwischen Minen gegen Panzer und Minen gegen Personen beibringen wollten, hat er abgewinkt:

»Ach, die hab ich doch selbst schon viel zu oft gesehen.« Der Junge gestikuliert wie ein Alter, mit der offenen Hand.

Der Winter hier ist hart und lang. Nur drei von hundert Familien besitzen ein Fernsehgerät.

»Und ihr?«

»Wir erzählen, wir lesen uns Geschichten vor, wir spielen Schach.«

Als er geht, entschuldigt er sich, sein Drachen hängt zwischen den Bäumen, er muss sich darum kümmern.

Es wird ihm selbst nicht aufgefallen sein, aber alles, was er gesagt hat, hat Zalmai mit zusammengezogenen Brauen gesagt.

»Salam aleikum«, verabschiede ich mich.

»Good boy«, erwidert er.

Wenn Nadia sich an etwas erinnern will, schreibt sie es wie damals in der Schule auf Persisch mit Kuli in ihren Handteller. Es ist, als fände selbst in dieser Geste eine Rückführung statt.

Und dann alle diese Orte mit ihren Geschichten: Istalef mit seiner türkisfarbenen Töpferware, Charikar, das Tal der Obstbäume und Weingärten, heute ausgetrocknet als Folge jahrelanger Dürre. Das sind die alten Karawanenstraßen über den Hindukusch. Wir werden sie in sieben Stunden hinter uns bringen, wenn alle Brücken stehen, wenn wir nicht durch das reißende Wildwasser müssen, wenn der Salang-Pass frei ist.

Und dann fahren wir wirklich in den Salang-Tunnel hinein, jene sagenumwobene Röhre, zu deren beiden Seiten die Mudschaheddin gegen die Russen kämpften und die Nordallianz gegen die Taliban und Söldner gegen Söldner, die verminteste Strecke. Nadia kurbelt die Scheibe herunter:

»Ihr müsst den Kopf rausstrecken und rufen: ›Salang, mein Lieber, ich kehre wieder!‹ Das Echo wird großartig sein.«

Vor dem Tunnel, der eine bunkerartige Röhre ist, ragt eine finstere Felswand gen Himmel. Auf die schroffe Fläche hat jemand geschrieben: »Seid glücklich!« Und glücklich fahren wir in die Öffnung, die im Krieg unpassierbar war, blockiert oder vermint, und die nach dem Krieg mit Seilen versperrt wurde.

Im Tunnel ist es immer wieder stockfinster. Dazwischen fallen durch Oberlichter fahle Blöcke Licht, durchwirbelt von den Schneeflocken, die wie Lamettafäden ins Innere des Tunnels wehen. Es gibt weder Beleuchtung noch Lüftung. Auf dem Asphalt liegen immer wieder große, tellerförmige Eisflächen, auch die Wände sind eisgelackt, wo das Wasser durch Schadstellen und Löcher die Wände herunterrinnt. So fahren wir in behutsamen Schlangenlinien immer noch aufwärts.

Auf der anderen Seite angekommen, sagt Mirwais: »Herzlich willkommen im Norden Afghanistans.«

Schweigen. Es ist die schroffere, kältere und unwirtliche Seite des Passes, die Region, in der er einst kämpfte, der Landesteil, den man abtrennen wollte, die Nordprovinz, in der sich der Widerstand sammelte. Heute empfangen uns zuerst die Ruinen der kleinen Straßenarbeiter-Siedlungen. Hatten die Arbeiter eine Etappe abgeschlossen, demontierten sie die Dächer ihrer Häuser, schleppten das kostbare Holz mit sich und siedelten weiter unten. Dort errichteten sie auch gleich wieder eine Zeltschule für ihre Kinder. Niemand hier, der den Wert der Alphabetisierung, des Schulunterrichts nicht verteidigte.

Regionen, in denen die Natur das Leben tilgt. Die Menschen setzen Farben dagegen, und manchmal blüht sogar die Baumwolle. Es ist eine Landschaft, die in der großen Fläche »nichts« ist, Stein, Erde, Masse, Textur, Struktur. Und dann tritt etwas Winziges heraus wie der rote Punkt in den Gemälden von Corot: ein Kopftuch, ein Fleckvieh, ein Nomadenkind im bunten Kleidchen. Das ist das Einzige und bewegt sich durch die monochrome Landschaft wie der manifest gewordene afghanische Imperativ:

»Schultere dich selbst.«

Ich frage Mirwais nach einem prachtvoll geschmückten Grab direkt am dem Abgrund.

»Es ist das Grab des Cleaners.«

Der »Cleaner« war der Beifahrer in einem Personenbus, räumte die Straße, wenn nötig, half beim Beladen. Einmal sackte ein Bus nach hinten, rollte rückwärts auf den Abhang zu. Der Cleaner sprang heraus, suchte nach etwas, mit dem er die Reifen hätte blockieren können. Da er nichts fand, legte er sich selbst unter die Hinterreifen, starb und rettete zweiundfünfzig Passagiere.

»Das waren Zeiten«, sagt Mirwais. »Heute tut so etwas niemand mehr.«

Das Grab umzäunt und grün und rot bewimpelt, die Fahnen hat der Wind zerzaust und fadenscheinig gemacht. Aus der Ferne sieht diese Ruhestätte aus wie ein üppiger Blumenbusch auf dem Fels.

Die Ebene öffnet, die Straße senkt sich. An den Ständen hängt jetzt der Fisch, den man hier aus den Gebirgsbächen zieht, delikater Fisch, für den die Menschen weite Wege zurücklegen, doch da jede Region vor allem ihre eigene Früchtespezialität hat, nennt man diese hier das »Melonental«.

Am Hang, mitten im verminten Gelände, hat ein Nomade sein breites, flaches Zelt aufgestellt, ein Halbnomade wohl, der sommers hier, winters in Jalalabad lagert. Dies sind wohl die legitimen Ahnen des Landes, die nomadischen Völker, die Afghanistan und seine Stämme prägten, deren Bleiben oder Weiterziehen auch das Gesicht von Landschaften veränderte.

Dann kommen uns ein paar verwahrloste Jungen mit Eseln, dann Kamele mit ihren halbwüchsigen Hütern entgegen. Ziegen steigen temperamentvoll durch die Felshänge, und unten, wo sich die Ebene senkt, wurden die Terrassen der Reisfelder kunstvoll umfriedet und mit einem unterirdischen Bewässerungssystem versehen.

Durch die schönen, im Pastellton liegenden Felder treiben Schäfer ihr mageres Vieh. Am Rand hocken nebeneinander die Bauern und betrachten die Reis- und Weizenfelder, die zweimal im Jahr abgeerntet werden. Da sie selbst meist auf den Hügelkuppen leben oder in der schützenden Höhe am Hang, lassen sie ihre Söhne die Kanister mit dem Wasser transportieren. Fünfzehn Mal am Tag müssen sie eineinhalb Kilometer vom Haus zum Fluss und wieder zurück. Zwei kommen eben vorbei, unter ihren Lasten leutselig redend.

Bleibt man hier oben auf einem Stein sitzen und blickt über die Ebene, ist dies eine vollendete Idylle. Pferde, Kühe, Kamele laufen frei, Männer und Frauen, hier meist weiß gekleidet, gehen in Grüppchen, Kinder tollen, in den Pfützen sitzt der Reis struppig und vital.

Ockergelb erheben sich im Dunst die Bergrücken der gegenüberliegenden Seite. Das Tal scheint randvoll mit Vogelruf und Hundebellen, und manchmal ein Kind, eine Hupe, ein Blöken der Kuh oder des Kamels, alle wie zum Einklang miteinander komponiert. In den breiten Flusstälern dieses Gebietes hat sich die Sekte der Ismailiten niedergelassen. Viele ihrer Anhänger leben heute in Pakistan und Indien. In Afghanistan aber haben sie dieses Tal zu ihrem Lebensraum gemacht und ihm ein so arkadisches Aussehen verliehen.

Der Mann betet mitten im Feld nach Osten. Hinter seinem Rücken hacken zwei grotesk aussehende Truthähne in dieselbe Richtung.

Wie unendlich weit ist der Weg, den ein kleines Mädchen, das hier ein Schaf vor sich her treibt, gehen muss, will es in die Welt, in irgendeine Welt, und sei es die, in der dieses Mädchen uns vermutet. Wir sind ganz behangen mit dieser Fremde, die Teil ihres Sehnens ist. Wir riechen nach ihr, wir atmen sie aus. Wir sind die Gewinner, die bloß passieren, Durchgangsmenschen, die man nie betrachten kann, weil sie in ihrem eigenen Element daherkommen, der Flüchtigkeit.

Den nächsten Flecken nennen sie »Klein Moskau«. Die Straßensperren sind aus Panzerketten, in die Fundamente der Baracken wurde sowjetisches Kriegsgerät eingearbeitet, die Flüsse schwemmen Rüstungsschrott heran.

An Orten wie diesen darf man vielleicht sogar daran erinnern, dass die Kommunisten den Analphabetismus bekämpften, dass sie den Frauen mehr Rechte einräumten, dass sie den auf dem Feld und in den Fabriken Arbeitenden Bewusstsein gaben. Man sagt, es wohnen viele Intellektuelle am Ort, das bedeutet übersetzt, Anhänger einer partiell vernünftigen, überholten, nicht lebensfähigen und vor allem: nicht afghanischen Kulturvision.

Oft hocken die Männer ganz einfach nebeneinander an der Straße, blicken stundenlang erst in die eine Richtung, dann in die andere.

Wir fühlen jeden Blick: Wer uns sieht, folgt uns mit den Augen, bis wir verschwunden sind. Wir agieren nicht plausibel, auch zieht eine unverschleierte Nadia hier mehr Blicke auf sich als ein weißer Fremder. Was wir wollen, ist nicht zu erkennen, warum wir anhalten, unsere Schritte mal in diese, mal in die andere Richtung wenden, versteht man nicht. Man betrachtet uns mit interesselosem Wohlgefallen, manchmal mit Skepsis.

Auf diesem ländlichen Markt suchen wir eigentlich nur Bolani, unsere Kartoffelteigtaschen mit scharfer Füllung. Doch weil der Andrang der Schaulustigen, lauter halbwüchsige Ex-Soldaten, zu stark wird, und Mirwais sich Sorgen um unsere Sicherheit macht, müssen wir abbrechen. Auch haben sich die Blicke der erwachsenen Männer verfinstert. Nicht ohne Missgunst sehen manche in uns wohl weniger das, was wir tun, als vielmehr, wohin wir zurückdürfen.

Nadia erzählt von dem Kunduz ihrer Jugend, von den Tänzen und Spielen, dem Picknick in der blühenden Steppe, den Ausgrabungen buddhistischer Relikte nebenan. Aber erst, als sie auf die Pferdekutschen kommt,

mit ihren rot ausgeschlagenen Polstern, den Feder-
büschen auf den Köpfen der Tiere und dem Schellenklang in den Straßen, muss sie unterbrechen und wendet ihre überfließenden Augen in die Landschaft, so
hilflos vor der eigenen Vergangenheit, wie nur der ist,
dem sie genommen wurde.

Nadia erzählt auch von dem Kino in Kunduz, das einst
ihre Welt war, ein altes Theater mit Balkon und breiter
Cinemascope-Leinwand, das den Krieg überstand. Vierhundert Besucher hätten hier heute Platz.
    »Erwarte nicht zu viel. Es ist alt und kaputt und hat
gelitten.«
    Vor Jahren haben die Taliban auch dieses Kino ganz
schließen wollen, aber Turab, der geschickte Verwalter,
bot ihnen einen Kompromiss an: halb Kino, halb Arzt-
praxis. Also schloss man den Vorführraum und erklärte
ihn zur Praxis. Da aber eigentlich die Taliban den ganzen Saal in ihre Moschee integrieren wollten, sprachen
sie wieder vor und stellten Turab die tückische Frage:
    »Was willst du haben, ein Kino oder eine Moschee?«
    »Beides.«
    Für den nächsten Tag wird er erneut einbestellt,
schickt aber sicherheitshalber einen Vertreter. Der berichtet von dicken Stöcken, die schon wartend in einer
Ecke gelehnt hätten. Noch am selben Abend flieht
Turab in einem klapprigen Flugzeug nach Kabul.
    Khaled, der am Steuer des Wagens sitzend zugehört
hat, fragt mich nicht ohne Hintergedanken:
    »Und du: Würdest du eine Moschee wollen oder ein
Kino?«
    »Beides.«

»Gleichermaßen?«

»Beide formen Menschen.«

Er denkt nach. Es ist die »Gebt-dem-Kaiser-was-des-Kaisers-ist«-Antwort. Dann sagt er:

»Stimmt, im Kino haben wir gelernt, wie man einen Krieg führt, wie man einen Sprengsatz legt, solche Sachen…«

Das Gewitter verzieht sich.

Schon in den dreißiger Jahren des letzten Jahrhunderts schrieb Robert Byron: »Laut Volksmund ist die Reise nach Kunduz praktisch Selbstmord.« Andere sagten, man komme »nach Kunduz zum Sterben«. Sie sprachen der Sümpfe und Moskitos, der Skorpione und Schlangen wegen so.

Später drehte der indische Filmstar Feroz Khan in der hiesigen Steppe, und Omar Sharif und Jack Palance spielten hier »The Horsemen«. In der Folge kamen ein paar europäische Prominente und gekrönte Häupter hierher, und so prägte man bald den Satz: »Willst du leben, komme nach Kunduz.«

Heute wirkt Kunduz, der geschundene Ort, kompakt, auch erwachend, auch rückwärts gewandt mit seinen Kamelen und Pferdekutschen, seinen alten Stallungen und Marktvierteln für Gewürze, Textilien, Trockenobst oder Fleisch. Der Krieg hat seine Spur durch den Ort gezogen, und doch sind alte Fassaden noch intakt, das Gebäude der Spinzar-Baumwollproduktion, die Nadias Vater leitete, existiert noch, alte Bäume stehen in den Höfen, und etwas Koloniales liegt in der Luft.

Doch ist der Hof der Kindheit, in dem Nadia so frei wie behütet aufwuchs, kahl und ramponiert. Ein paar

Sträucher noch, auch Rabatten, aber der Swimming Pool wurde zugeschüttet, die Bäume hat man gefällt, nur die Außenfassade mit dem halbrunden Treppenaufgang und der kleinen Veranda scheint unverändert. Hier hat man damals in heißen Sommernächten den Boden mit Plüschkissen und Matratzen ausgelegt. Die Mädchen tranken Tee mit Kardamom und betrachteten den Sternenhimmel, während die Tante die Liebesgeschichten von Laili und Majnun ausbreitete, jede Nacht eine Folge.

Nadias Mädchenschule lag damals neben einer Religionsschule. Die hohen Mauern um das liberale Familienleben stießen fast an die hohen Mauern des islamischen Lerninstituts. Doch keine der Mauern war hoch genug.

»Wir haben uns immer über ihre Papageiensprache lustig gemacht«, sagt Nadia über die Koranschüler, »weil sie doch immer alles nachbeteten. Einmal hat sich eine von uns sogar in deren Bibliothek getraut und hat dort ein Aufklärungsbuch studiert. So wurden wir peu à peu nach diesem Buch aufgeklärt.«

»Bist du sicher, dass du alles richtig weißt?«

Abends kommen wir aus dem Gästehaus, wo wir Männer schlafen, in das Haupthaus mit den Zimmern für Frauen und Kinder. Im dortigen Salon mit seinen roten Plastikstühlen unter den gekreuzten Hellebarden und dem Foto von einem deutschen Wald werden jeden Abend Gelage abgehalten.

Turabs Frau ist im neunten Monat schwanger, zeigt sich, isst aber in der Küche. Die anderen Frauen bleiben in den hinteren Räumen. Mirwais, Khaled, ein anderer

Verwalter, Cousins und weitläufige Verwandte sind fast immer da, andere geben sich die Klinke in die Hand. Wir essen den köstlichsten Palau-Reis mit den geradesten Körnern, dazu Ragout, Kebab, Kichererbsen, Eier.

»Dies ist ein Ei von einem Taliban-Huhn«, meint einer.

»Warum heißen die so?«

»Weil sie frei rumlaufen.«

Danach bunte Götterspeisen, Puddings, die nach Rosenwasser schmecken, bleiches Gebäck.

Nadia erzählt von den Fahrten in die Steppe, als sie damals nach Norden reisten zum Oxus, dem sagenumwobenen Grenzfluss.

»Vater hat an diesem Fluss gestanden, der Grenze nach Turkmenistan, Tadschikistan und Usbekistan und hat gesagt: Irgendwann kommen die Russen.«

»Das hat man uns in Deutschland auch gesagt«, erwidere ich.

»Aber bei uns sind sie wirklich gekommen.«

Thema ist die Kinovorführung.

»Versprecht euch nicht zu viel«, meint Turab, der sein Kino kennt. »Rechnet mal mit dreizehn Personen, vielleicht auch weniger.«

»Es ist gratis«, protestiert Mirwais leise. »Das Haus wird aus den Fugen brechen.«

Aber wie sollen die Richtigen von unserem Film erfahren? Mundpropaganda.

»Ich gehe auf die Straße und spreche die Frauen an!«, sagt Nadia. »Früher hätten wir das mit Kutsche, Plakat und Trommel gemacht. Aber das gibt es alles nicht mehr.«

Begeben wir uns also auf die Höhe der Zeit: Ein Fernsehspot muss her, geschaltet im regionalen Kanal von Kunduz. Die anderen entwerfen einen Text auf Dari, der mir anschließend übersetzt wird: »Ein deutscher Humanist und Afghanistanfreund...«

»Halt, da muss ›gratis‹ drüber. Das mal zuerst«, fordert Turab.

»Muss es ›Humanist und Afghanistanfreund‹ heißen?«

»Wir können deinen Namen nicht nennen. Namen sind zu gefährlich!«

»Dann den Beruf!«

»Dann werden sie ihn sofort entführen wollen.«

»Aber Humanist?«

»Das ist gut, das versteht niemand.«

»Also gut: ›Gratis! Ein deutscher Humanist und Afghanistanfreund lädt alle Frauen und Kinder von Kunduz ein, um 14 Uhr einen Kinderfilm und einen indischen Film anzusehen.‹ Und dann noch mal ›gratis‹!«, fordert Turab, sagt aber nach einer Pause noch einmal: »Ich tippe auf dreizehn Besucher.«

Nadia hat eine ganze Armada von Frauen im Kopf, die alle auf ihre Befreiung warten, also kommen werden, und außerdem die gute Nachricht ganz schnell empfangen, weil sie gleich persönlich allen Frauen von dieser Vorstellung berichten wird.

Die nächsten Verhandlungen betreffen den Projektor, der erst aus einer fernen Provinz herangeschleppt werden muss, und die Auswahl des »Frauenfilms«. Nadia und ich plädieren für einen Bollywood-Schinken mit süßlicher Musik, prachtvollen Bildern und sanftmütiger Liebe. Es geht nicht um Bewusstseinsveränderung im Film, sondern durch den Film, also eigentlich bloß durch die Tatsache, dass er läuft.

Die Traumatisierung der Kinder, der Jugendlichen, bricht sich überall Bahn. Schiedsrichter werden verprügelt, das Mobiliar in der Schule wird zerstört, von scheinbar unmotivierten Gewaltausbrüchen erzählen alle, die Kontakt mit Jugendlichen haben. Vielleicht setzt das Kriegsende eine große Blase der Gewalt frei, und sie platzt nun in einer lange angestauten afghanischen Katharsis.

Nachdem wir eine Weile gesessen haben, ziehen sich die Männer in das Gästehaus zurück. Einer der Verwandten kommt vorbei und bröselt etwas klebrigen schwarzen Afghanen in die hohle Hand. Dann wandert er in die leere Papierhülse einer Filterzigarette und wird an der Spitze zusammengedreht. Ich bekomme die Zigarette zur guten Nacht, und es passiert etwas Unerwartetes.

Der Rauch ist stark und würzig, er brennt nicht im Mund, nicht in der Lunge, er hebt meinen inneren Zustand, verdichtet ihn, aber plötzlich passiert, was seit dem Kiffen meiner Schulzeit nicht mehr passiert ist: Angst materialisiert sich. Angst, die über die Straße heranrollt, durch den Hof kommt, aus den Wänden tritt, über meinem Lager zusammenschwappt. Plötzlich ist jede Angst, die sich in dieser Stadt je befunden hat, zielgerichtet und bei mir. Sie hat keine genießbare Seite und erlaubt auch kein Abschweifen. Vielmehr meint sie es ernst, als Einschüchterung, als Bedrohung.

Wenn Orte auch geronnene Erfahrung sind, wenn

sie sich zusammensetzen aus allem, was je in ihnen gefühlt wurde, dann ist diese Angst eine Art Offenbarung. Kunduz gibt sich zu erkennen. In das Weichbild der Stadt haben sich Bombenabwürfe und Raketenbeschuss, Vergewaltigungen, Folter und Morde eingedrückt. Heckenschützen haben gelauert, Späher haben Häuser auf der Suche nach Versteckten durchsucht, Marodierende haben zerstört, Soldatentrupps haben Bauwerke gestürmt und verwüstet, Frauen haben geschrien, Kinder das Weite gesucht. Jede denkbare Konstellation kann sich wiederholen. Es ist alles noch zu frisch. Die Gewalt ist nicht Vergangenheit, ist nicht archaisch, nicht Kultus. Sie ist nur für ein paar Tage nicht hierher gekommen, und wir reden schon von Frieden.

Der Hof liegt finster. In der Nacht sind nur Hunde und ein paar Autos zu hören. Es ist eine andere Nacht, gesättigt von Bedrohung, eine Nacht, in der so viele wach liegen in der Angst, in der Wiederkehr des Traumas. Da ist die Angst des Soldaten vor dem Anblick der Wunde, der Moment der Auslieferung des Opfers, die Zerstörung des Bewusstseins im Schrecken.

Die Angst sitzt dicht am Lebensnerv. Sie fühlt die geographische Entfernung, die Zeit, die ich brauchen würde bis in die Arme meiner Lieben. Ich denke an sie, denke mir Landschaften. Die Angst bricht durch, Angst ohne Objekt.

Nach Stunden erst löst sich alles in einem Staunen über alles, was der Kopf kann, nicht über das, was er denkt, sondern darüber, mit welcher Intensität er Regungen körperlich werden lässt in einem innigen, unausweichlichen Gefühl, das plötzlich wirklich eine eigene Macht ist.

Jetzt zerfallen die Figuren, vervielfachen sich, werden anorganisch, zerfließen zu bloßen Strukturen oder geometrischen Mustern, die Gedanken sind plötzlich schlechter steuerbar, starrsinnig wählen sie sich eigene Zustände. Dann wird mit breitem Pinsel eine Stimmung hineingemalt, ein Rothko-Rot glüht, eine Poliakow'sche schwarze Wand erhebt sich.

Oder die Nebenlinien verflattern, wollen einzeln verfolgt werden, eine nach der anderen, aber die andere ist schon vergessen. Dann lösen sich alle diese Visionen ab durch andere Bilder, Landschaften, Erotisches, eine Ich-Monade, die durch organische und anorganische Strukturen treibt, die Haut streift und schon durch sie hindurch ist. Vom Erotischen ins Medizinische. Dann nur noch Sphärisches, 2001 im Weltraum, zuletzt Strukturen, Muster, Gekrakel, eine beschädigte Matrize.

Die neue Decke, unter der ich liege, mit ihren großen roten Mohnblütenmotiven, besteht vermutlich zu über hundert Prozent aus Polyester, sie knistert und sprüht Funken wie eine Wunderkerze, sobald ich sie im Dunkeln schüttele, was ich mit allmählich wachsendem, einfältigem Vergnügen tue.

Morgens früh. Im Hof sitzt Nadia ganz allein, heute in Schwarz und Orange. Sie sitzt in der Laube, hat eine warmgelbe Wolldecke ausgebreitet und ein paar Rosenblüten in der Hand, an denen sie von Zeit zu Zeit riecht. Ganz still sitzt sie, der Garten erwacht gerade. Dann erst erkenne ich, dass sie mit einem kleinen Aufnahmegerät die Geräusche ringsum aufzeichnet, das Vogelzwitschern, das Klappern der Geräte in den Küchen, das Rufen der Menschen in den Nachbarhäusern. Nadias Bruder lebt in den USA. Lange hat er keine Reise nach Afghanistan antreten können. Jetzt bekommt er Kassetten mit dem Geräuschprofil der Orte seiner Kindheit. Wir horchen gemeinsam in den beginnenden Tag hinein.

Dieser magische Garten hat seinen Zauber nicht eingebüßt. Zur einen Seite wohnte die Tante, zur anderen ein weiterer Onkel. Geriet man in Streit, blieben die Verbindungstore geschlossen. Doch nie für lange. Die Mädchen genossen das gemeinsame, in die Welt der Frauen hineintastende Spielen. Heimlich, aber wohlweislich, wurden sie dabei von den Jungen der Nachbarschaft beobachtet. Sie selbst aber beobachteten ihrerseits die Sikhs, die in der Nachbarschaft wohnten und sich am Fenster ihre langen Haare bürsteten.

Turab hat den aufgesägten Mantel einer Bombe in seinem Garten aufgestellt und pflanzt mit verschwörerischem Lächeln Hängeblumen hinein. Ein subversiver Gärtner, der sich in der Vergangenheit mit allen möglichen Fundamentalisten angelegt hat, unter anderem mit einem Taliban-Richter. Abends baut er zwei Gebäckstücke vor sich auf:

»Dieses hier nenne ich ›Turban des Richters‹, weil es so wirr verschlungen aussieht. Das andere, dieses kleine, irgendwie verkrüppelt aussehende, wie nenne ich das? Ach ja: ›Hoden des Richters‹.«

Mirwais in seiner afghanischen Hemdhose mit dem Norwegerpullover samt eingesticktem St. Georg darauf und der Weste darüber, Mirwais, mit der die Finger nie verlassenden Gebetskette und der Sorge im Gesicht, der Behüter mit den schnell wandernden Augen und der Neigung, jeden Raum sofort auf seine möglichen Gefahren abzusuchen, Mirwais, der uns nicht allein gehen, nicht abseitig streunen lässt, der überall als Unterhändler, Kundschafter, Vermittler erscheint und jede Brücke auf ihre Passierbarkeit prüft, er zeigt diese besondere, für uns kaum mehr nachvollziehbare Verantwortung für unsere Unversehrtheit, ein Verhalten, das er nicht annimmt, sondern lebt. Es macht jetzt sein Leben aus, uns zu schützen, und er wird sein Leben erst zurückbekommen, wenn wir das Land unversehrt verlassen haben.

Man staunt in diese Existenz hinein, in das Leben eines, der den Krieg überstanden hat, ein Mensch mit der Sorge des Hausvaters, der Fürsorge der idealen Mutter:

»War das Wasser nicht zu kalt?«

Wir sprechen miteinander gedolmetscht, meist mit Hilfe Nadias. Manchmal wiederhole ich seine afghanischen Sätze einfach, indem ich sie phonetisch kopiere, und er lacht von tief innen. Heute Abend aber hat er nur zwei Sätze an mich gerichtet:

»Du darfst mich nicht bedienen.« (Ich hatte ihm den Aschenbecher gereicht.) Und: »Du solltest Dari lernen.«

Aber als ich beginne, ihn auszufragen, rückt er langsam damit heraus: Als er 19 Jahre alt war, hat er, gemeinsam mit seinen Freunden, den Mudschaheddin, gegen die Russen gekämpft. Gewonnen haben er und die Seinen, weil sie mobil waren, nie am gleichen Ort zu Mittag aßen, wo sie gefrühstückt hatten, und ihre kriegerische Strategie auf Überraschungsüberfälle bauten, getragen von der Unterstützung der Bevölkerung.

Nach der Vertreibung der Russen gerieten die unterschiedlichen Gruppierungen der Mudschaheddin in bittere Auseinandersetzungen. Blutige Fehden folgten, Gewaltakte aller Art. Auch wenn Mirwais sich erst als Dolmetscher, dann als Journalist versuchte, gab es politisch bald niemanden mehr, der ihn vertreten hätte. Also zog er sich zurück. Und heute? Heute lebt er im Bewusstsein, dass seine Klugheit nicht gebraucht wird und seine Moral auch nicht:

»Heute bin ich ein Bauer, der dafür sorgt, dass die Vögel die Saat auf den Feldern nicht fressen.«

Von seiner Arbeit in den Schulen und den Hilfsprojekten sagt er kein Wort.

»Aber vielleicht fehlst gerade du der Politik.«

»Ich muss fehlen, weil es dieser Politik an Geradlinigkeit fehlt. Karsai hat kein Blut an den Händen. Das ist das einzig Gute, das man von ihm sagen kann. Abgesehen davon wollte er niemandem wehtun und vereinigte ein paar der schlechtesten Kräfte.«

»Das Parlament macht dir keine Hoffnung?«

»Heute weniger als vor einem Jahr. Wieder ist das Land nicht aus eigener Kraft, wo es ist.«

Damals standen die Wahlen noch bevor. Heute erwartet man täglich die endgültigen Wahlresultate. Was aber durchgesickert ist, hat alle Idealisten enttäuscht.

Nachdem der Text für unseren Kino-Spot formuliert und auf ein Blatt Papier geschrieben ist, wird er von einem Boten ins Sendegebäude getragen. Mirwais überwacht am Handy den Transport.

»Ihr werdet euch nicht retten können vor Besuchern«, sagt er. »Hier wissen die Leute doch alle nicht, was sie mit ihrer Zeit anfangen sollen.«

Turab ist noch immer skeptisch: »Sollen wir nicht vielleicht doch auch die Männer zulassen...?«

Proteste. Kommt ja gar nicht in Frage.

Unser Frühstück ist fast opulent und besteht aus selbst gebackenem Brot, in dessen Mitte ein Muster gestanzt ist, Eiern, Quittenmarmelade und dem »Happy Cow«-Schmelzkäse, der irgendwie seinen Weg aus dem fernen Österreich bis nach Kunduz geschafft hat. Wir fragen Khaled, wie sich das Deutsche für ihn anhört:

»Nicht gut, nicht schlecht, am ehesten wie ein schwer verständliches Geräusch.«

Und dann wieder ein Schweigen, in dem sie alle die Reise in jene Provinz antreten, in der sie glücklich zu Hause sind, die Erinnerung. Ja, sie bewohnen immer noch alle zusammen ihre Vergangenheit.

Der Bote kehrt zurück aus dem Fernsehgebäude. Der Spot wird heute zweimal, um 17.30 Uhr und um 19.30 Uhr verlesen. Außerdem wird die Gratisvorstellung in jeder Kinovorführung des heutigen Tages durch eine lautstarke Durchsage angekündigt.

Mirwais sagt: »Wir brauchen einen Film, in dem geschossen wird. Etwas anderes interessiert die Leute nicht.«

Nadia: »Wir brauchen Filme, die das Bewusstsein ändern.«

Man diskutiert die Frage, ob die Gewaltdarstellung das Bewusstsein ändern könne, und befindet sich im Handumdrehen im Bodensatz jeder Gewaltdebatte: Dient dargestellte Gewalt der Läuterung und Reinigung oder dient sie als Vorbild und Initialreiz? Die Debatte wird hier nicht schlechter geführt als auf jedem zweiten deutschen Podium zur Frage »Qualität oder Quote«, aber der Resonanzboden einer fünfundzwanzigjährigen Kriegsgeschichte lässt sie in Kunduz anders klingen als in Mainz.

Was kommt auf den Straßen aus Pakistan auf die hiesigen Märkte? Kindertröten, Maschinengewehre mit Schnellfeuergeräuschen, aufblasbare rosa Rehe, Feuerzeuge in Handgranatenform, Panzer in Violett oder Blaumetallic, fahrbare Schildkröten mit Sonnenbrillen. Die ersten Angebote des Überflusses an die Welt des Mangels.

Über den Verkaufsständen erhebt sich der Wall der alten Festung mit dem ausgetrockneten Wassergraben, die schüttere Grasnabe mit den grünen Überresten sowjetischer Panzer: Die Militärbasis der Taliban in Kunduz, heftig umkämpft als ihre letzte Bastion. Heute ein ummauertes Grasplateau, gesichtslos und geschichtslos, Gras und Schrott. Früher war dies der Platz der Hunde- und Hahnenkämpfe. Heute erinnert nichts daran, dass auf diesem Aussichtshügel Soldaten fielen, Kommandanten wohnten, Nachrichten in alle Welt gingen. Keine Vorstellung davon, dass dieser Hügel Furcht auslöste, Gewaltvisionen inspirierte, von Soldaten wie von Kamerateams bezwungen und eingenommen werden wollte.

Außerhalb von Kunduz passieren wir die ersten Sandbauten von ehemaligen Flüchtlingen, die über die Straße von Peschawar nach Jalalabad wieder in ihre Heimat zurückgekommen sind, in den Frieden. Doch was finden sie? Versteppte Felder, zusammengebrochene oder -geschossene Häuser, gekappte Verbindungen zur Strom- und Wasserversorgung. Sie finden sich zusammen, schachteln Behausungen an den Rand eines Gewässers und nehmen die Arbeit des Überlebens auf.

Die Steppe breitet sich aus, die Siedlungen sitzen darin wie Oasen. Nomaden ziehen vorbei, verkaufen Kamelfelle, Ziegenkäse, Stoffe. Kinder schwärmen aus, tragen das Wasser auf dem Kopf heran. Sie gehen ins Endlose, so, als liefen sie direkt in die Erdkrümmung hinein. Manchmal ein Weiler, ein Busch mit wenigen Hütten dabei, ein umfriedeter Hof mit Brunnen und Ofen, dicht an dicht, Alte, die erst um dies Leben, dann um ihre Existenz zu kämpfen gelernt haben, Junge, die unter der Last des vorstellbaren, von Bildern herangetragenen Lebens fast zusammenbrechen, und das alles wächst auf Wüste, auf Fels, im Staub, im Fast-Nichts.

Wir biegen wieder auf die große schwarze Straße ohne Mittelstreifen ein, die durch das Hellgelb der Steppe führt. Im Wagen sitzt jetzt noch ein anderer Alter mit einer Stimme wie eine Orgel, einer, der die heimlichen Wege zu den scheuen Usbeken, ja, der sie selbst kennt und versuchen wird, uns einen Weg in eines ihrer Dörfer zu bahnen. Wir fahren lange. Am Horizont, das könnte Dunst sein oder auch Hügel, es könnte auch nichts sein. Nach zwanzig Minuten kommt die erste Kurve.

Von der befestigten Straße biegen wir ins Nichts ab. Über Bodenwellen, durch Senken und über Hügel geht es, wir fahren in einem Schwarm aus Staub und Sand, dann über den weichen Boden der Steppe, der wie gepresstes Stroh nachgibt unter den Füßen.

Endlich eine Ausbuchtung, eine kleine Anhebung der Horizontlinie. Das sind die Schafherden, bewacht von einem jungen Hirten, der auf einem Sandhügel schläft, einem Zweiten, der zu Pferde gemächlich im Kreis trabt, und drei bösen Hunden, die sich auch gegen Wölfe und Schakale durchsetzen müssen und immer kampfbereit sind. Immerhin fraßen die Wölfe im Krieg selbst von den zurückgebliebenen Leichen.

Der Hirte weiß das, er rutscht von seinem Sandhaufen und nähert sich ein paar Schritte. Unter seinem langen Filzmantel trägt er einen Pullover, eine wattierte grüne Jacke, eine Nadelstreifenweste, mit dem langen Stab in seiner Hand stützt er sich, schützt und dirigiert er die Schafe, an die siebenhundert sind es, behütet von zehn bis vierzehn Schäfern in dieser Gegend, gefährdet von Taranteln, Schlangen, Schakalen.

Wo er schläft? »Irgendwo in der Steppe.«

Was er isst? Er hat sich sein Brot auf den Rücken geschnallt. Woher er sein Wasser bezieht?

»Es sind sechs Stunden mit den Tieren bis zur nächsten Quelle.«

»Und ist die Herde sicher?«

»Manchmal kommen Diebe und klauen ein paar Tiere. Aber was soll ich machen? Wir beklauen uns dann wechselseitig.«

»Und was machst du, wenn ich dich beklaue?«, will Turab wissen.

»Ich kann Karate«, erwidert der Hirte mit einem Gesicht, das im Leben noch nie gescherzt hat oder jedenfalls so aussehen möchte.

»Was isst du?«

»Mein Brot mit etwas Fett, das ich hier in einem Döschen mit mir führe.« Er zeigt es.

»Und warum hängst du hier rum?«, protestiert Turab humoristisch, »statt dir in der Stadt eine vernünftige Arbeit zu besorgen?«

»Ich kann nicht.«

Er hört, wo wir zu Hause sind. »Ihr lebt in einem guten Land, in dem es immer Regen gibt.«

»Was verdienst du?«

»Ich bekomme ein Zehntel aller neugeborenen Schafe eines Jahres. Wenn ich Glück habe, sind das fünfzig.«

»Wie alt bist du?«

»Weiß ich nicht. Vielleicht 21?«

»Aber du hast noch keinen Bart!«

»Kannst du mir nicht sagen, wie alt ich bin?«

Die Unterhaltungen der Afghanen untereinander sind oft so. Gleich sind sie bei den Lebensumständen, eigentlich bei den vertraulichen Dingen. Nie wird eine Frage abgelehnt oder selbst infrage gestellt. Man teilt die Geschichte wie die Atemluft.

Wir gehen zu Fuß weiter durch die Steppe, lange sieht man vor allem die geschwungenen Linien der erstarrten Dünen, staubige Senken, dann kommen aus allen Himmelsrichtungen Kinder wie aus dem Nichts. In den Händen Plastik-MPs und -Kalaschnikows, die ersten Dinge, die sich die Kinder von ihrem Geld kaufen, denn sie wissen nicht, was Entwaffnung ist.

Dann plötzlich ändert sich die Atmosphäre. Klarer wird die Luft, eine andere Vegetation, Baumwollfelder erscheinen, Mais. Hinter den Strohpalisaden liegen die Umfriedungen der usbekischen Sippenhöfe mit ihren wehrhaft im Karree angelegten Hütten, den getrampelten Verbindungspfaden, staubigen Hauptwegen, über die die Kamele geführt werden. Alles sieht nach afrikanischer Lehmarchitektur aus, nicht anders als in Mali oder Burkina Faso.

Wir stehen noch vor den Toren und warten, ob wir eingelassen werden. Irgendwo findet eine Zeremonie statt. Eine Braut wird ganz traditionell auf dem Kamel abgeholt und ins Haus des Bräutigams gebracht. Man hört ein Motorrad knattern, trotzdem sind wir an den Grenzen einer isolierten, sich von der Mitwelt abkapselnden Kultur, die gleichzeitig an ihrer Armut zu ersticken droht. Während wir warten, treibt ein Junge, begleitet von einem räudigen Hund, ein verfilztes Kamel vorbei, gefolgt von einem Greis auf einem Damenfahrrad.

Der Älteste aus einem der Höfe bittet uns herein. Seine grotesk modische Sonnenbrille nimmt er nicht ab, trägt er sie doch als Statussymbol. Gefolgt wird unser kleiner Tross jetzt von einem Jungen, der eine Kanne mit heißem Wasser samt Schale zum Händewaschen hinter uns herträgt.

Der Innenhof des Anwesens drängt alle vitalen Funktionen der Sippe auf engen Raum: Brunnen und Herd, Stall und Werkstatt. Letztere ist verlassen, als wir kommen, denn die Frauen, die hier tagsüber zum Weben der berühmten usbekischen Teppiche versammelt sind, haben sich ins Innere der Gebäude zurückgezogen.

Lange war der Vorsteher des Hofes im Gefängnis von

Kunduz interniert gewesen. Dass er gefoltert wurde, erwähnt er fatalistisch, wie um der Vollständigkeit halber auch diesen Standardbaustein aus den Biographien hiesiger Menschen nicht unterschlagen zu haben. Während er spricht, hält er den Kopf mit dem Turban gesenkt und streicht mit der feingliedrigen Hand über die noch unfertigen Gewebe vor sich, bunte Stoffe, die dann mit eingeübten Bewegungen von den Kindern zusammengelegt werden. Selbst die Fußsohlen dieser Kinder tragen die Henna-Ornamente des zurückliegenden Feiertages. Der Dorfälteste bietet Tee an:

»Warte, ich trinke zuerst, dann brauchst du keine Angst zu haben.«

Einst besang man auch den Karawanen-Tee, der eigentlich aus China stammt:

»Er hat Falten wie Tartarenstiefel, Locken wie die Wamme eines mächtigen Ochsen, Spiralen wie der Nebel, der aus einer Schlucht steigt, und er bebt wie ein See, der vom Blau des Himmels gestreichelt wird...«

Während wir trinken, schwärmen die Kinder aus, um den Ältestenrat zusammenzurufen, und da stehen sie dann, fünfundzwanzig Männer, die meisten mit Turban, in langen Gewändern mit würdevollen, auch schwermütigen Gesichtern, und mitten darunter Nadia, die, nur mit dem Kopfschleier bedeckt, offenen Gesichts durch die Menge der Alten geht, dem Gemeindehaus zu, wo sie sich – jetzt ganz die Vorsitzende ihrer Hilfsorganisation – die Bitten des Rates anhören wird.

Der Saal ist gerade fertig geworden, er bildet den Stolz der Gemeinde. Man hat ihn in einer Anwandlung von Übermut oder Idealismus mit hellblauen Wolkenmotiven ausgemalt. Das wirkt in dieser Umgebung so befremdlich neumodisch wie ein Wellnessbad unter Nomaden.

Wir sitzen auf Kissen im Kreis. Von außen drängen immer mehr Männer in den Raum. Dazwischen wieseln die Jungen mit Tellern voller Pistazien, Mandeln, Trockenobst und Hülsenfrüchten. Es sind auch ein paar eingewickelte Bonbons auf den Tellern. Das alles kommt, ohne dass wir eine Anweisung gehört hätten. Später berichtet Nadia, dass man hinter den Kulissen ausgeschwärmt sei, um ein richtiges Essen für uns zu suchen, doch habe man es nicht zusammenbekommen.

Kaum ergreift Nadia das Wort, wird es ganz still. Die Alten mit ihren in den Lebenswinter eingetretenen Gesichtern, ihrer Zukunftsangst, ihrem Festhalten an allem, was ihnen ihre Tradition lässt, sie blicken in Nadias offenes Gesicht und sehen, wie empfindlich die Zeit sich ändert. Sie alle haben ihren Vater noch gekannt. Deshalb fällt es ihnen wohl leichter, seiner Tochter zuzuhören. Sie brauchen auch kein Vertrauen zu fassen, sie haben es. Aber ihre Bitten sind groß und, gemessen an Nadias Möglichkeiten, maßlos.

Das Licht im Raum geht plötzlich in eine Dämmerstimmung über. Die Alten beißen ein paar Mandeln auf, wenden aber den Blick nicht von Nadias Gesicht, forschen, was wohl von ihr zu erwarten sei für den Bau eines tieferen Brunnens, einer Schule, für die Besoldung eines Arztes, der sich der hiesigen Krankenstation annähme, denn da ist niemand.

Die meisten Krankheiten kommen aus dem Wasser. Manchmal verenden Tiere im Brunnen und verunreinigen das Trinkwasser, mancher ungebildete Bauer wirft einen Tierkadaver einfach in den Brunnenschacht, auch Malaria grassiert, und Nadia hört das alles an, geduldig wie beim ersten Mal, dabei haben alle diese Geschichten die gleichen Strukturen. Blicke ohne Lidschlag befestigen sich an ihrem aufmerksamen Gesicht. Niemand bettelt, niemand klagt, niemand ringt die Hände, rauft die Haare, niemand verliert die Haltung.

Was ihre Versorgung angeht, so können sie sich in guten Jahren sechs Monate lang mit dem Verkauf von Teppichen und Vieh über Wasser halten, die zweite Hälfte des Jahres müssen sie aus dem Eigenanbau bestreiten. Mit Sonnenaufgang sind die Bauern auf den Feldern oder bei den Tieren. Sie frühstücken Brot mit Tee, wenn sie haben, mit Milch.

Ich schreibe, was der Bauer berichtet. Mit dezenter Beteiligung blickt der Raum auf das, was mich offenbar interessiert, kaum senke ich den Stift aufs Papier, ist ihr Blick auf der Spitze der Feder. Was hier erzählt wird, das ist doch alles ihr normales Leben. Was soll es daran aufzuschreiben geben? Dass die Minengefahr auf den Feldern groß ist? Gewiss, aber gegen die Wölfe anzukommen, ist auch nicht einfach.

Die glücklichsten Bauern sind die, die einen Ochsenpflug besitzen und eine Kuh ihr Eigen nennen, auf die sie sich verlassen können. Solche Bauern können sich manchmal sogar Dünger leisten.

»Aber es schmeckt besser ohne Dünger«, sage ich, alles lacht, glücklich, dass sich Fremde so einig sein können.

Das Gespräch wendet sich dem Ackerbau zu, den Ernten, dem spät ausgesäten Reis. Hinter einer Schule haben wir ein paar Mohnblumen entdeckt. Von wo mögen diese Samen hierher geflogen sein? Niemals sind die Felder von der Straße aus sichtbar.

»Wir bauen keinen Mohn an«, sagt der Ortsvorsteher.

»Und uns hat man gesagt, du hast vierzig Kilo gewonnen aus deinen Feldern«, ruft unser Mittelsmann, und alles lacht erneut, ja, der Angesprochene haut dem Sprecher mehrmals kameradschaftlich auf die Schulter.

Doch nein, hier verrät nichts geheimen Wohlstand. Die Kinder gehen häufig schon um sechs Uhr früh in die Schule, damit sie am späten Vormittag den Eltern schon wieder helfen können, sei es beim Baumwollepflücken, sei es beim Hüten der Tiere.

Nadia hat inzwischen begonnen, auf einer herausgerissenen Heftseite den Antrag für einen Brunnen zu formulieren. Währenddessen rekapituliert der Älteste den Tag des Bauern. Nach dem Mittagessen, das gewöhnlich aus Reis besteht, wird nichts mehr zu sich genommen bis zum Abendgebet. Dann gibt es Brot und Buttermilch.

»Das dehnt den Magen und macht müde«, sagt Nadia. »Nennen wir es afghanischen Alkohol.«

Anschließend setzen sich die Männer zu den Frauen, knüpfen Teppiche und erzählen sich Geschichten. Manchmal wachen sie auch über die Babys, damit die Frauen ruhiger knüpfen können. Weil die Männer mehrere Frauen heiraten dürfen, hinterlassen sie auch mehrere Witwen. So werden manche Dörfer maßgeblich von Frauen am Leben gehalten. In diesem Dorf gibt es kein Fernsehgerät, und einen Generator für Strom besitzt nur einer, der wohlhabendste Bauer. Also geht man früh schlafen.

»Hat sich im Laufe der Jahre das Wetter verändert?«

»Ja, es ist insgesamt wärmer geworden. Also haben wir mehr Schädlinge, und die Baumwollernten haben sich verschlechtert. Vor Jahren hatten wir immer viel mehr Schnee.«

Die Sorge weicht nicht aus ihren Gesichtern, die gegerbt sind wie Schuhe. Die Hände wie rissiges Arbeitsgerät, selbst die Füße sehen ledern und abgearbeitet aus, und der Tee schmeckt nach dem Rauch, in dem er entstand.

Inzwischen ist der Antrag fertig formuliert. Jemand bringt ein Stempelkissen, und bis auf zwei Männer setzen alle ihren Fingerabdruck in die vom Sekretär mit Blockschrift notierten Namen. Einer besitzt ein Siegel. Ein anderer wendet sich rasch an Nadia und zischt:

»Hilf mir, gib mir ein Mofa!«

Am Ende hält Nadia einen schmutzigen, von Ruß verfärbten und von Fingerabdrücken gestempelten Antrag in den Händen, aus dem in absehbarer Zeit ein Brunnen werden wird. Der Dorfälteste überreicht uns auf seinem Unterarm drei kostbare Mäntel in Grün und Violett von der Art, wie Karsai sie trägt. Unmöglich, dies Geschenk abzulehnen, sagt der Alte doch selbst:

»Wir haben zwar nichts, doch was wir besitzen und nicht aufgeben, das sind unsere Menschlichkeit und unser Stolz.«

Mythischer Oxus. Reisende aller Jahrhunderte haben sich auf diesen Grenzfluss, der Afghanistan im Norden gegen Tadschikistan, Usbekistan und Turkmenistan abgrenzt, zubewegt, mühsam, unter Qualen und oft ohne ihn zu erreichen, weil Überfälle, Entbehrungen, Malaria, Wurmbefall, Seuchen dazwischenkamen. Robert

Byron hat die Reise geschafft, an den Ufern des Oxus geschwärmt und zurückgeblickt auf die armen Schlucker, die verendeten, bevor sie den Fluss ereichten, und wir bewegen uns nun geradlinig durch die Steppe nach Norden, zwischen den Reisfeldern und Brachen hindurch, um dieses Ende der Welt zu erreichen.

An einem heruntergekommenen Straßenposten wartet ein Grenzsoldat bei einer Hütte. Es ist ein Lädchen dabei, am Geländer lehnt ein langbärtiger Verwahrloster, vielleicht ein hängen gebliebener Hippie, ein Gestörter. Ringsum Kriegsschrott zwischen den Hütten, rostiges Gerät auf den Feldern, das Ganze ein blinder, perspektivloser Flecken rund um einen Schlagbaum mit ein paar Gestrandeten, Vergessenen.

Die Straße endet vor einem Gatter, das wir passieren dürfen, um die Hafenanlage zu betreten, besser: den Schrottfriedhof, der sich da ausdehnt, wo früher ein aktiver Binnenhafen gewesen sein muss. Was der Krieg zurückgelassen hat, was in der Gegend an rostigem Metall eingesammelt wurde, türmt sich zwischen Lagerhäusern, Laderampen und einer monströsen Kran-Anlage. Über dem Brackwasser des trägen Flusses erhebt sie sich mit der opernhaften Dramatik, die frühere Zeiten in den ersten großen Maschinen der industriellen Revolution erkannten. Wie ein Bühnenbild von Visconti, übertragen in die Welt der Maschinenpoesie wirkt das, wie ein erhaben seinem Verfall entgegenrostendes Monument hundertjähriger Technik. Und der Arm dieses Krans gestikuliert blind über den Fluss, irgendwo hinüber nach Tadschikistan.

Und selbst der tief stehende Oxus scheint sich seiner Umgebung angepasst zu haben. Versandet sind seine

Ufer, das Wasser kommt behäbig fließend, aber mit reißender Unterströmung daher, die sich nur manchmal durch Schlieren auf der Oberfläche verrät. Nicht lange her, da wollte ein Reiter mit seinem Pferd das rettende Ufer von Tadschikistan erreichen. Sie kämpften heroisch, sagen die Einheimischen, und ertranken beide.

Breite Schlickstreifen bleiben liegen, wo sich das Wasser zurückgezogen hat, durchschossen von Prielen und brüchigen Gräben. Stromaufwärts liegt die kleine Behelfsfähre, die nach Bedarf die Ufer wechselt. Gerade hat sie in Tadschikistan festgemacht, zwischen ein paar glanzlosen Industriehallen und Containern, in denen sich der Geist der afghanischen Seite fortsetzt. Posthume Landschaft. Landschaft nach dem Abzug allen Geschehens, zurückgeblieben als Statthalter einer abwesenden Geschichte. Doch kaum schwenkt der Blick ostwärts, ist die Steppe wieder da, die gelbgrüne, sich in schmuckloser Weite verlaufende Steppe.

Es brauchte nichts, um diesen Wirrwarr aus Dreck, Ruinen und Kriegsschrott zu beleben. Als wüsste er das, kommt plötzlich ein Alter auf Krücken über die Hafenmauer. Sein Kartoffelgesicht blökt in den staubgrauen Himmel. Sofort fliegen Vögel rufend auf, schreien Kinder in der Ferne. Dann ist nichts: Nur das Klappern eines Metallteils im Wind, der auch ein paar Stimmen herüberträgt, die Vögel, die im Kran genistet haben, geben ein paar lustlose Geräusche von sich, die kaum mehr nach Vögeln klingen. Schritte entfernen sich im Kies. Khaled hat auf dem Schlick seinen Gebetsteppich ausgebreitet und absolviert seine Andacht mit inbrünstigem Gesicht. Eine Feiertagsstille liegt plötzlich über dem Ort, unwirklich, eine Weltende-Stimmung.

Vorsichtig wandert unsere kleine Gruppe zum Wasser. Die Stelle ist so verlassen, als hätte das seit Jahren niemand mehr getan. Nichts ist schön hier, aber alles verdichtet.

Unter den anziehenden Unorten, die ich gesehen habe, ist dieser einer mit besonderer Wirkung. Geh weg, sagt er, hier ist nichts, kehr um, sieh nicht hin, halte nichts fest, sei nicht hier, löse dich auf, oder so ähnlich. Ich tauche meine Hände in das gelbgrau und milchig schimmernde Wasser. Sie greifen wie in kalt fließenden Opal.

Die Kaimauer ist mit gelben Flechten üppig bewachsen. Ein Ponton liegt im Wasser, aber von einem Boot angesteuert wurde er vielleicht seit Jahren nicht. Nur ein blauer Plastikstuhl ist stehen geblieben mit Blickrichtung Steppe, das Echo der Grenze, das Echo als Grenze. Man dreht sich um, und gleich darauf möchte man schon sagen: Ich habe mir diesen Ort nur eingebildet.

Und wer blickt nicht nach dort, wo flussabwärts noch karge Goldvorkommen die Wäscher anziehen, oder wo das Rohopium verarbeitet wird, das allein durch die Überquerung des Flusses ein Mehrfaches seines Wertes gewinnt? Ja, einer der Afghanen, die sich unserem Tross angeschlossen haben, erzählt mir von einem deutschen Diplomaten, der in seinem Gepäck unentdeckt siebzehn Kilogramm Opium schmuggelte, besprüht mit einem bestimmten, den Drogenhunden unerträglichen Parfüm.

»Woher wissen Sie das?«

»Weil ich der Verkäufer war.«

Eine spitzwinklige Formation Zugvögel wechselt in

diesem Augenblick ihre Ordnung über dem Fluss. Als Nächstes soll hier eine Brücke gebaut werden. Nur afghanische und russische Soldaten sind vehement dagegen, und selbst die Ordnungskräfte wissen, dass diese Brücke niemandem so gelegen kommt wie den Drogenschmugglern. Dreitausend Dollar kostet das Kilo Rohopium auf dieser Seite des Stroms, zehntausend auf der gegenüberliegenden, die kaum einmal fünfhundert Meter entfernt liegt, und niemand soll glauben, Tadschiken und Afghanen machten diesen Handel unter sich aus. Einer der Einflussreichsten hier ist amerikanischer Staatsbürger. Genaueres will keiner wissen oder sagen. Nur seinen Spitznamen geben zwei Einheimische preis: »der weiße Ibrahim«.

In der Abendstimmung treiben die Schäfer ihre Tiere in die Ställe, die Kuhhirten die ihren an den Wassergräben entlang, zwischen den Reisfeldern hindurch oder parallel zur Straße. Dort haben auch drei Jungen eine kleine Fahrradwerkstatt aufgebaut. Sie tragen Strickwesten zu ihren Turbanen, Ton in Ton. Ihre heraneilenden Freunde zeigen auch ihre hennarot gefärbten Haare unter den bestickten Käppchen. Ein Alter fängt ein entflohenes Lamm ein, wirft es einfach über die Mauern seines Anwesens und watet wieder auf uns zu.

Sonst ist es still an der Straße, und erst, dass wir anhalten, gibt dem Treiben einen Fluchtpunkt. Jetzt kommen sie aus den entferntesten Hütten in unsere Richtung gelaufen, und selbst die Viehtreiber bleiben mit ihren Tieren kurz stehen, während die Sonne das schönste späte Licht über den in den Feldern stehenden Wasserspiegel schickt.

Die Halbwüchsigen erzählen uns, dass sie arbeitslos sind und »zukunftslos«, wie sie gleich hinzufügen. Zwei von ihnen kamen erst vor kurzem aus dem pakistanischen Flüchtlingslager in Peschawar in diese Gegend, die Heimat ihrer Eltern, und jetzt, sagen sie, »sterben wir hier vor Langeweile«.

Tatsächlich fällt wohl kaum jemandem die Assimilation an die nie erlebte arme Heimat der Eltern ähnlich schwer wie den Jungen, die eine so andere Welt in den Flüchtlingslagern hinter sich gelassen haben und nun mit zweitausendfünfhundert Familien ohne Strom und ohne Schule an einer Straße im Norden Afghanistans ihr Leben entfalten sollen. Sie lächeln ihr schönstes Lächeln, aber es ist in seiner Schönheit schon versetzt mit den Spuren von Fatalismus:

»Es ist so langweilig hier«, sagt der Jüngste. »Ich habe die Nase voll vom Leben.«

Die Kleinen mit ihren Witwengesichtern, wie im Pyjama daherkommend, aufmerksam, aber reif wie lauter angewelkte Knospen. Wer spricht vom unentdeckten Potenzial dieser Kinder? Fragt man sie nach dem, was wir »Freizeit« nennen, staunen sie. Das Wort muss man erklären, und »spielen« können sie kaum unterscheiden von »essen« oder »Tiere hüten«.

Eines der Kinder schmiegt sich an seine Mutter wie ein Kitz. Jungtiere drücken ihre Liebe noch aus, als sei sie lebensnotwendig. Nichts ist an diesem Kind, das nicht wäre wie bei einem jungen Tier, das in seiner Zärtlichkeit nicht erfahren wirkt, sondern bedürftig wie am ersten Lebenstag.

Sonnenuntergang in der Steppe: Allein gegen das Opalisieren des Himmels steht der Kameltreiber mit seinen elf Tieren, das jüngste ist zwei Jahre alt, das älteste sechs. Wir gehen im Spüllicht der frühen Dämmerung auf ihn zu.

»Ai ha!«

Die Tiere verzögern ihre Bewegung, blicken sich nach ihm um, traben weiter, verlangsamt.

Er steht auf seinen Stab gestützt und blickt uns mit dem gleichen Blick an wie beim Hüten seiner Tiere. Ja, die haben alle einen unterschiedlichen Charakter, auch Launen. Wenn sie zu traben beginnen, läuft er ihnen manchmal hinterher. Gerade im Winter werden sie sehr temperamentvoll, schlagen aus und beißen sich gegenseitig. Dann muss man aufpassen, dass sie keinen Schaden nehmen, sie leiden dann darunter, dass ihnen der Auslauf fehlt. Nein, Feinde haben sie nicht, außer den Minen, aber die Schakale trauen sich nur an kleinere Schafe heran, und die Schlangen können ihnen auch nichts anhaben.

»Niemand kann ein Kamel besiegen!«

Inzwischen sind die Tiere langsam auf- und davongegangen.

»Haben Sie keine Sorge, dass Sie Ihre Tiere verlieren, während wir hier reden?«

Sein Blick geht geduldig in das Graublau der dämmernden Steppe. Dann schüttelt er bloß den Kopf.

Erst zehn Minuten später rafft er seinen Mantel und entschuldigt sich, nun müsse er sich um die Tiere kümmern. Dann geht er in der umgekehrten Richtung davon, weg von den Kamelen. Erst jetzt erfahren wir, dass er gleichzeitig auch eine Schafherde hütet, die längst außerhalb unseres Gesichtskreises grast. Er war zu höflich, uns ohne ein Wort am Wege zurückzulassen. Im Gehen dreht er sich noch einmal um:

»Ihr fahrt nach Kunduz, nicht?«

»Ja.«

Im Weitergehen nickt er und nickt.

Die Sonne hat jetzt am Horizont nur noch einen orangegrauen Hof hinterlassen. Die Kamele traben in den schon nachtschwarzen Winkel des Himmels, der Hirte hält sich an die lichteren Zonen. Jetzt kommt die Nacht mit einem Schweigen nieder, das auch die Hunde dämpft und das Blöken der Kamele wattiert, deren Hufe auf dem federnden Boden keinen Abdruck und kaum einen Laut hinterlassen. Der Neumond kommt fast unsichtbar heraus, und Nadia sagt:

»Am ersten Tag des Neumonds in der Steppe, da küsst man sich die Fingerspitzen und wünscht sich was.«

Wir tun es.

Ist das jetzt die stillste Stille? Es ist, als hätte jemand eine Glaskuppel von der Steppe genommen und eine Sphäre eingelassen, die noch viel weiträumiger und feierlicher ist. Reine Atmosphäre mischt sich in das Schweigen, sättigt die Stille. Etwas dringt ein wie atemlose Erwartung. In den nach oben geöffneten Schweigeraum dringt nun von irgendwoher ein einzelnes, sehr fernes Hundebellen, nur um das Schweigen umso fühlbarer zu machen.

Das Schweigen der Steppe: Wenn man in der Ferne ein Geräusch hört, ist man bei diesem Geräusch, also in der Ferne. In der Großstadt ist man demnach ortlos, denn eigentlich surft man auf einem Kurzwellenempfänger und wird dauernd in alle möglichen Distanzen geworfen. Ist die Steppe aber vollendet still, ist man nur noch beim eigenen Atem, bei den eigenen Schritten. Also ist man ganz bei sich. Dort ist man selten.

Wieder daheim in Kunduz, werden wir schon erwartet. Eine alte ehemalige Dienerin ist gekommen, um mit den Frauen im Haus zu reden. In ihr Gesicht hat sich der Gram tief eingegraben, seit ihr Sohn vor Jahren nur eben vor die Tür ging, um rasch etwas zu besorgen. Eine Bombe explodierte genau in dem Augenblick genau an dieser Stelle vor dem Haus. Der Junge starb, die Mutter hat kein Leben mehr. Sie lebt eingeschlossen in einem Zustand, der Trauer ist, hängt weinend an Nadias Schulter. Der Pulk der klagenden Frauen treibt in die hinteren Zimmer, die Männer bleiben unter sich. Khaled erzählt von den Riten des Ead.

»Und worüber redet ihr bei all euren Gelagen?«

»Wir sagen uns, wer gestorben ist, wer geheiratet hat. Das ist das Wichtigste. Das geht lange hin und her.«

»Und dann?«

»Und dann sagen wir, dass Karsai uns alle betrogen hat.«

»Und wer verteidigt ihn?«

»Keiner. Man kann einen Glatzkopf ja nicht gut für seine schönen Locken loben.«

»Was werft ihr ihm vor?«

»Dass er keine Experten in seine Regierung geholt hat, sondern lieber die alten Gangster, um niemandem wehzutun. Nur die Aufrechten, die hat er gehen lassen.«

Es bleibt bei dieser täglich erneuerten politischen Analyse, die offenbar nie veraltet, weil sie das Gemeinschaftsgefühl stärkt. Dann erzählt einer von Afghanen, die versucht haben, als Nomaden zu leben, aber scheiterten und nun wieder in die Ruinen der Stadt zurückgekehrt sind, ein anderer erzählt von einem Lehrer, den man entlassen musste, weil er seine Traumata an den Kindern ausließ. Wie? Durch Despotismus, Befehlssucht, Schläge.

Turabs Frau erwartet ihr Kind jetzt täglich. Sie wird zu Hause entbinden.

»Wir sind da«, sagt Nadia. »Sei ohne Sorge.«

»Aber was können wir tun?«

»Wir rufen bloß: Pressen! Pressen!«

Plötzlich Aufregung im Nebenzimmer. Wir müssen kommen. Der Werbeblock mit unserem Kinospot hat gerade begonnen. Alle Frauen des Hauses fliehen den Fernsehraum, alle Männer machen es sich auf den warmen Kissen bequem. Nadia übersetzt. Zunächst erscheint eine singende Frau, die sich nur in der Hüfte dreht wie ein Hartgummi-Cowboy. Bis vor kurzem durften Frauen im hiesigen Fernsehen weder singend noch tanzend gezeigt werden. Diese hier scheint eher zu zetern, folgt aber dabei offenbar Anweisungen, die ihr von außerhalb des Bildes gegeben werden.

Als Nächstes erscheint eine synthetische afghanische Familie, die von den Banden des Blutes und denen des Roshan-Handys überzeugend verbunden wird. Auch Großpapa lacht in sein Mobiltelefon, als habe man ihm eben den Waffenstillstand erklärt.

Es folgt ein wimmernder Sänger vor einem schillernden Heizungsblech, auf das die bunten Scheinwerfer Lichtspiele zaubern, und auch sonst gerinnen in seinem Umfeld die Farben auf psychedelische Weise.

Mirwais erhebt sich: »Ich gehe mal rüber zum Sender und frage, wo unser Spot bleibt.«

Inzwischen hat die Musik- und Werbespot-Show einen kühnen Schnitt auf eine Zimmerpflanze gewagt und zoomt sich jetzt auf das Laubblatt, in dem, durch die Macht der Überblendung, der nächste Sänger erscheint. Er ähnelt einem Außendienstmitarbeiter bei »XY – ungelöst« und klingt auch so.

Danach ein Schwenk über die sonst beschäftigungslose Zimmerpflanze, an der es aber auf die Dauer so wenig zu sehen gibt, dass die Kamera sich missmutig für ein Brustbild des unermüdlichen Sängers entscheidet, dessen rechtes Auge allerdings inzwischen, man weiß nicht warum, Richtung Nasenwurzel gewandert ist, während das Halbporträt des Sängers unverändert vor einer hölzernen Jalousie schillert, die optisch ähnlich unergiebig ist wie die Zimmerpflanze.

Während wir diese sentimentale Show verfolgen, verabschiedet sich an der Tür die Alte, die ihren Sohn verlor, indem sie weinend Nadias Kopf an ihre Schulter legt, dann ihre Hände küsst, dann ihrem Herzen durch das Kleid einen Kuss aufdrückt.

Mirwais ruft aus dem Sender an, mit der Nachricht: Sie haben unseren Spot schon zweimal gebracht, bringen ihn aber gleich noch mal. Weil Mirwais Druck gemacht hat, bringen sie ihn kurz vor acht, damit wir alle ihn sehen können.

Wenig später erscheint auf dem Fernsehschirm das Standbild einer Seerosenblüte von eleganter Pracht.

Aus dem Off trauert eine Stimme über den Tod eines Bürgers, nennt die Hinterbliebenen, Stunde und Ort der Trauerfeier. Das Bild bleibt stehen, die Stimme hellt sich ein wenig auf und setzt dann hinzu: »Gratis. Ein deutscher Humanist und Afghanistanfreund...« Der Rest geht im Johlen der Anwesenden unter.

Die abendlichen Debattierrunden. Einer dieser Männer, ein kleiner mit schwarzem Bart und unruhigen Knopfaugen, könnte ein Talib gewesen sein. Er ist der Einzige ohne eine Haft-Geschichte, ist er ein Maulwurf, leise, mit der Ausstrahlung eines Spitzels?

Doch andererseits, wenn es so wäre: Wie blickt er nun in die Welt, nachdem sie ihm fast alles entzogen hat, was ihn triumphieren ließ? Wie passt er sich an? Heute ist ein Besserwisser aus ihm geworden, aber seine Reflexe sind die eines Fundamentalisten. Dauernd stößt er sich den Kopf an Gedanken, die rings um ihn geäußert werden, Gedanken zur Politik, zum Kino, zu den Frauen. Zwischendurch staunt er diese große unverschleierte Afghanin Nadia unaufrichtig an, als litte er unter sich selbst, unter dem Licht, das aus ihm dringt. Worauf hofft er?

Es geht um die Zwischentitel des »Laurel and Hardy«-Films. Nadia will sie später am Abend mit mir durchgehen und dann von hinten mit dem Mikrophon in den Saal sprechen. Unmöglich! Selbst Turab warnt:

»Das Kino ist heute ein Ort auch für Junkies und Ex-Soldaten. Du kannst unmöglich da stehen und sprechen. Das ist wirklich zu gefährlich.«

Außerdem gibt es kein Mikrophon.

Wir entscheiden, dass der Film für die Kinder auch ohne Zwischentitel verständlich ist, und wollen uns gleich auf den Weg machen, um den Hauptfilm auszusuchen.

Turab telefoniert dem Mann mit dem Kinoschlüssel hinterher. Nach einer Stunde ist der Mann wirklich da, hat aber keinen Schlüssel. Niemanden beunruhigt das.

Wie steht es um den Projektor? Er wird morgen aus einer anderen Provinz herangeschafft werden und pünktlich zur Vorstellung um 14 Uhr im Vorführraum sein.

Und der Hauptfilm?

»Es muss gekämpft und geschossen werden«, wiederholt Mirwais.

Wir bestehen wie früher schon auf einem veritablen Frauenfilm. Der Vorführer hat in diesem Genre zwei Filme anzubieten, beide indischer Provenienz und sanftmütig. Der erste erzählt die Geschichte einer Frau im Dschungel, die ganz allein überlebt und zwischen den Tieren …

Wir sind nicht abgeneigt. Eine starke Frau, auf sich gestellt, ein weiblicher Tarzan, das könnte die richtige Mischung sein. Dann fällt mir »Sheena, die Schande des Dschungels« ein, oder wie der Streifen heißt:

»Glaubt ihr nicht, dass die Frau schon in den ersten fünf Minuten nackt auftreten wird?«

Turab hält auch das für erzieherisch, aber wenn ich mir vorstelle, dass der »deutsche Humanist und Afghanistanfreund« am Ende westlich anmutende Frauen-Nacktheit in ein nordafghanisches Kino von zweifelhaftem Ruf gebracht hat, dann erscheint mir das nicht mehr eindeutig humanistisch.

»Und der andere Film?«

»Der andere ist ein Liebesfilm, den ich empfehlen würde«, sagt der Filmvorführer, »mit einer recht anspruchsvollen Dramaturgie.«

Nicht das Wort »anspruchsvoll«, sondern »Dramaturgie« gab den Ausschlag. Wenn jemand den Gesichtspunkt des Dramaturgischen einem Film gegenüber überhaupt ins Feld führt, dann muss er etwas vom Film verstehen, und wenn er dann eine Empfehlung ausspricht, sollte man ihr folgen. Wir entscheiden uns für den Liebesfilm und verabreden, am nächsten Morgen das Kino zu inspizieren.

Ich sitze, umgeben von Stimmen, die ich nicht verstehe, in Beziehungen, die ich nicht durchschaue, zwischen Menschen, die gekämpft und getötet haben, die gefangen genommen und gefoltert wurden, die das Leben auf uneinsehbare Positionen geworfen hat und die die Geschichte gleich wieder erfassen und auf einen anderen Fleck spülen könnte. Sie reden überzeugt, aber ihre Ideologie ist unfest. Die einzige Orientierung bietet das Gute, der Wunsch nach Frieden, nach Harmonie in der Familie, Fürsorge, lauter Dinge, die die gläubigen Kulturen umspannen könnten.

Abends ist Nadia immer noch hellwach, doch ziehen sich die Männer schon um 22 Uhr zurück, und weil ich mit ihr nicht allein bleiben darf, setzt sich Turab manchmal mit auf die Treppenstufen vor dem Gästehaus und raucht, während wir uns unterhalten. Wenn es ihm zu kalt wird, trennen wir uns.

Turab, der Lebenslustige, der sich eine »Pine« nach der anderen ansteckt und keine Geschichte ohne Pointe abschließt, er führt morgens seine beiden Mädchen zur Schule, ein rotes und ein grünes, die mit gesenkten Köpfen an seiner Hand gehen. Von welcher Idylle werden sie eines Tages erzählen? Werden sie beim Schellengeräusch der Pferdekutschen in Tränen ausbrechen?

Ich suche auf den alten Fotos, die Turab nur unter Gefahr hat retten können, denn Personenfotografie war unter den Taliban verboten. Nadias Vater sieht mit den schwermütigen Augen, der hohen Stirn, dem klugkonzentrierten Gesicht, auf den ältesten Fotos wie ein nomadischer Edelmann aus einem anderen Jahrhundert aus, auf den späteren im westlichen Straßenanzug wie ein ägyptischer Nabob.

Nadias Mutter ist eine Schönheit von durchscheinender Beseeltheit. Auf jedem der Fotos schimmert ihr Innenleben auf der Oberfläche ihres Mienenspiels, lächelnd und mit der Empfindlichkeit, die Hans Christian Andersen in den Satz gefasst hat: »Ich bin wie das Wasser. Alles bewegt mich, alles spiegelt sich in mir.«

Auf einem Foto steht sie groß und schlank, als Mann gekleidet, ein Jüngling von androgynem Reiz, in der Steppe neben zwei Kriegern. Auf einem anderen sieht man die Eltern auf der Jagd, beide in den Trachten traditioneller afghanischer Männer.

Im Jahr 1959 war der Schleierzwang abgeschafft worden, in den folgenden Jahren wurde die rechtliche Gleichstellung der Frau in die Verfassung aufgenommen, und Frauen saßen im Parlament. Die Gegenwart knüpft nicht dort an, sie muss diese Liberalität erst wieder erringen. Auf dem nächsten Bild, das ich betrachte, spielt Nadias Team Volleyball gegen die Mannschaft des Mathematiklehrers. Damals wurde oft gegen Lehrermannschaften gespielt.

Auf anderen Bildern sieht man die Familie mit großem Zelt in der Steppe, dann die Schwestern im folkloristischen Ornat, geradezu bombastisch farbenprächtig gewandet und unter den Hochbauten ihrer Hüte, ihres Kopfschmucks lächelnd, aber wie erdrückt, so als müssten sie ihn balancieren.

Dann folgen Aufnahmen von Kostümfesten samt Frauen in kurzen Röcken oder mit aufgemalten und -geklebten Bärten, in wallenden Fünfziger-Jahre-Gewändern oder mit Diademen – eine Parallelverschiebung zu den Festen derselben Zeit in unseren Breiten. Man sieht die Geschwister im Swimming Pool, bei einer Theateraufführung, beim Spielen, Tanzen, Reiten in üppigen Gärten.

Die Kulisse steht noch. Das Leben aber ist daraus entwichen und sucht wieder seine Formen.

Der frühe Morgen ist frisch und feucht, die Abende werden kühl, sobald die Sonne verschwunden ist. Es ist Sonntag, und man fühlt ihn nicht. In den Bäumen toben die Vögel. Unter den Menschen erwachen die einen in die Strapaze, die anderen in die Sterbenslangeweile, die dritten ins Überleben. Wer geht denn in diesem Land überhaupt schon dem nach, was wir »ein geregeltes Leben« nennen? Wer stirbt schon, was wir einen »natürlichen Tod« nennen?

Nadia spricht jetzt immer öfter davon, nach Kunduz zurückzukehren, Brunnen und Schulen zu bauen, Projekte zu betreuen, und im April in der blühenden Steppe zu picknicken. Sie strahlt in einem fort und das mit einem Ausdruck, den ich in Deutschland nie an ihr gesehen habe, so sperrangelweit offen.

Unser ganzer Kino-Plan scheint plötzlich wieder auf Messers Schneide zu stehen. Man warnt uns vor einem Attentat, wie man es vor nicht allzu langer Zeit bei einer anderen Unterhaltungsveranstaltung erlebt hat. Vielleicht wird das jemand zu verhindern wissen, vielleicht werden sich »gewisse Kräfte« dagegen richten, dass jemand »ihre Frauen« ins Kino bringt. Auch haben schon Frauen die Befürchtung geäußert, im Kino könne eine Bombe hochgehen. Es wäre nicht das erste Mal.

Warum verlegt ihr die Vorführung nicht in eine Schule?, wird vorgeschlagen. Nein, soll das Kino als Raum für Frauen wiedergewonnen werden, können wir unsere Filme nicht außerhalb zeigen. Nicht klein beigeben!

Nadia besteht darauf, den Saal selbst zu inspizieren. Unter jedem Sitz will sie nachsehen. Aber dieses Mal ist es Mirwais, der Mahner, der den Verdacht vom Tisch räumt. Wir ziehen hinüber zum Kino, ein Bau von der Art alter Lichtspielhäuser in den Vorstädten, geräumig, mit hölzerner Klappbestuhlung, einer breiten Bühne vor der Leinwand, hellblauer Bemalung und dünnen Säulen, die die Balkons zu beiden Seiten der Vorführerkabine auf der rückwärtigen Seite des Saales tragen. Hier saßen früher die kleinen Mädchen und sahen heimlich zu. Wenn sie kicherten, drehten sich alle Männer im Saal um, aber die Mädchenköpfe duckten sich immer blitzschnell in das Dunkel.

Von der Leinwand bis zur ersten Reihe sind es knapp fünfzehn Meter. Kleine Treppen führen auf die Bühne. Eine Neonröhre und zwei nackte Glühbirnen beleuchten den Saal mit einem diffusen Streulicht, das kaum die Winkel erreicht. Trotzdem sehen wir unter den Sitzen nach, schreiten den Raum ab, sprechen mit dem Vorführer in seinem Kabuff. Der Projektor ist noch auf Reisen, aber er wird pünktlich eintreffen. Der Beamer für Laurel and Hardy ist installiert. Wir sind bereit.

Einen halben Tag noch bis zur Vorführung, und wir verlassen die Stadt Richtung Norden. Weiter, weiter. Wenn man dem Verlauf dieser Straße folgt, kommt man bis nach China. Wir überqueren den »Drei-Wasser-Fluss«, passieren die Reisterrassen, die Okrafelder, die Mulden, in denen am schmalen Wasserlauf Kamele und Schafe getränkt werden. Wir biegen in Staubstraßen ein, auf denen kleine Mädchen zur Schule laufen, und auch wir sind auf dem Weg zu dieser Schule, deren Grundstein Nadia und ihre Mitstreiterinnen vor zwei Jahren gelegt haben, und die heute achthundert Kinder aus zwölf Dörfern aufnimmt. Alle diese Kinder müssen in der Landwirtschaft mithelfen, dem Vater sein Essen aufs Feld bringen, die Tiere versorgen. Manche gehen eine volle Stunde, bis sie das Schild erreicht haben, das am Schuleingang steht und die Inschrift trägt: »Wissen und Können bringen den Menschen weiter.«

In den Klassen herrscht eine Disziplin, so altmodisch wie fremd. Alle erheben sich, sobald jemand die Klasse betritt, sie antworten chorisch auf einen Gruß, versagen sich jedes Flüstern, jedes Lachen. Ganz Auge, ganz gespannte Aufmerksamkeit sind sie, und die an der Tafel schwingen sich mit dem Zeigestock von Zeichen zu Zeichen und lesen die Verse laut und deutlich.

Es hängt auch ein Hygiene-Plakat an der Wand, eine Tafel mit den Abbildungen von Minen, der Stundenplan. Ein kleiner Junge in Blouson und Käppi trägt ernst und selbstbewusst seine Aufgabe vor, der nächste stockt bei dem Satz »Wenn du den Menschen respektierst, wirst du vom Menschen respektiert« und muss, ganz bleich im kleinen Gesicht, an seinen Platz zurück. Keine Regung von keinem.

»Wer von euch kann lesen?«

Alle Finger fliegen hoch. Ich frage die Schmächtigste der Klasse nach ihrem Alter. Sie hat diese Lektion nicht vorbereitet, sie weiß es nicht. Der Lehrer nähert sich, fasst ihr in den Mund und betrachtet den Zahnstand:

»Sie wird etwa acht Jahre alt sein.«

Die Lehrerin der Mädchenklasse, diese tieftraurige Frau mit der grauen Haut, hat früher in Kabul unterrichtet. Dann verschlug es ihren Mann nach Nordafghanistan, und sie unterrichtete hier, tat es geheim, wenn es nicht anders ging, auch privat und selbst um zwei Uhr nachts. Sie riskierte ihre Freiheit, ihre Unversehrtheit, vielleicht ihr Leben:

»Als die Taliban da waren, durften wir nicht lernen. Als die Russen da waren, durften wir nicht muslimisch lernen. Heute dürfen wir beides.«

Ihr Mann fiel, einer ihrer Söhne ebenso. Nun ernährt

sie ihre fünf Kinder von dem spärlichen Gehalt, für das das Erziehungsministerium und der Afghanische Frauenverein zusammenlegen.

Auch alle Kinder in ihrer Klasse können lesen. Manchmal werden die Kleinen von den älteren Geschwistern zur Schule begleitet und sie lernen gleich mit. In der Lehrerin und ihren Schülerinnen haben sich Gleiche gefunden: Fast alle Kinder hier sind Waisen oder Halbwaisen, haben Verletzungen und Ermordungen, haben Tote gesehen. Die Hälfte der Klasse war schon malariakrank. Sie selbst, räumt die Lehrerin ein und blickt dabei verletzt, hatte psychische Probleme. Ihre eigenen Traumata helfen ihr aber im Umgang mit denen der Kinder.

Die Mädchen sind ruhiger, gefasster, die Jungen zerstörerischer, unbändiger. Kaum kommen sie in die Pubertät, müssen Jungen und Mädchen versetzt unterrichtet werden, die einen vormittags, die anderen nachmittags, und dann ist da noch das ethnische Problem zwischen den Persischsprachigen und den Paschtusprachigen, den Turkmenen und den Tadschiken und all dem, was Stämme trennt und Schichten. Nun wurde wenigstens eine Schuluniform eingeführt, eine, die die Unterschiede verwischt, aber den Schmutz nicht annimmt. Das ist wichtig, denn viele hier besitzen keine Seife und tragen ihre schwarzbunte Kleidung auch, weil man auf ihr die Flecken nicht sieht.

Und was wollen sie werden? Ärztin die Erste, Lehrerin die Zweite, Ingenieurin die Dritte. Eine andere Regierungsmitarbeiterin, zwei weitere Malerinnen.

»Und Schauspielerin? Sängerin?«, will ich wissen.

Die Kleinen sind befremdet. Es ist nicht leicht, einem

Fremden zu widersprechen, aber nein, das will hier wirklich niemand werden.

Was aber können sie werden? Wenn die Eltern wollen, können sie die Universität besuchen und eine akademische Ausbildung abschließen. Wenn die Eltern können. Denn man braucht die Mädchen daheim für die Feldarbeit, für das Anfertigen von Stickereien, womit sie ein Zubrot verdienen, und man muss sie lukrativ verheiraten, um selbst ein Auskommen zu haben.

Und was will das kleine Mädchen an der Tafel, wenn es aufgehört hat zu lernen?

»Weiterlernen!«

Manchmal, wenn gerade keine Lehrerin da war, hat dieses Mädchen schon selbst unterrichtet, hat sich zum Beispiel vor die Klasse aller Alter gestellt, in die auch jene kommen, die nie schreiben gelernt haben und jetzt im Frieden ihre erste Chance nutzen. Ein Pädagoge mag diese Einstellung zum Unterricht vorbildlich finden, aber das kann sie nur sein, weil das hier vermittelte Wissen Lebensmittel ist.

Die Einspänner von Kunduz sind prachtvoll geschmückt, die Pferde im Ornat mit besetztem Zaumzeug, roten Federbüscheln und dem Schellenklang aus »Doktor Schiwago«. Sie sind Verkehrsmittel unter anderen und reichen aus der vorkriegerischen Vergangenheit in die Jetzt-Zeit wie die Straßenbahnen in Deutschland. Doch ist der Kutscher, der manchmal nachts aufsteht, um nach seinem Ein und Alles, seinem Pferd, zu sehen, ist er selbst durch den Krieg mit diesem Gespann gefahren?

»Oh, natürlich, durch den ganzen Krieg bin ich gefahren. Wie hätte ich sonst Essen für mich und mein Pferd beschaffen können?«

Auch das eine Geschichte: Der Besitzer einer mit Federn geschmückten Pferdekutsche, der mit Schellenklang durch den Lärm des Krieges trabt.

Als wir um 13 Uhr zum Kino kommen, hat sich bereits eine grölende und drängende Menge davor versammelt, allerdings ausschließlich aus Männern. Die beiden Wachposten am Eingang und ein paar Autoritäten, die das Innere sichern, haben alle Hände voll zu tun.

»Eine Frau! Eine Frau!«, ruft ein kleiner Junge, als Nadia und ich uns unseren Weg durch die Menge bahnen.

Zur Lagebesprechung geht es in den malerischen Vorführraum: acht Quadratmeter, geschmückt mit Koran-Suren, Plastikblumen, Stoffen, einem galoppierenden Massud im Panschir-Tal und einem triumphal in Kabul einreitenden Massud, dazu ein Foto der Kaaba. Die Filmrollen liegen zu Füßen der beiden großen alten Projektoren, Nadia verhandelt tapfer.

Der richtige Projektor ist aufgebaut, der Film liegt vor. Laurel and Hardy können ebenfalls gezeigt werden, auch wird unser Frauenfilm draußen durch ein Plakat beworben. Sorgen macht uns dagegen das Drängen der wachsenden Menge vor der Tür. Wir entschließen uns deshalb, schon mal den Eingang für die Kinder zu öffnen.

Also tritt der mit der Orgelstimme vor die Menge und verkündet Einlass für alle bis zu zehn Jahren. Einige stutzen, andere wissen nicht genau, wie alt sie sind, wieder andere sind Geschwister und wollen nur ihre

Jüngsten begleiten, die Diskussionen reißen nicht ab, und sie werden laut.

Trotzdem gelingt es den versammelten Sicherheitskräften, die Kleinen von den Halbwüchsigen zu trennen. Das schmale Rinnsal der jüngsten Besucher fließt durch die Sperre ins finstere Innere des Saales. Ich laufe im ersten Stock zum Fenster über dem Eingang, um das Branden der Menge von oben zu beobachten, dann auf den Frauenbalkon, um dem Hereinstürmen der Kleinen zuzusehen, die gleich die ersten Reihen besetzt haben. Noch ist keine Frau in der Menge, nicht im Saal und nicht davor.

Im Auditorium ein Pfeifen und Rufen. Die Musik schrillt plötzlich energisch auf, dann verstummt sie. Ein Filmfetzen wird johlend auf der Leinwand begrüßt, verdämmert aber gleich, springt zurück und kehrt wieder.

Draußen gewinnt das Anbranden der Halbwüchsigen bedrohlich an Kraft, sie drängen von hinten, formieren sich in Gruppen und Reihen und scheinen im Begriff, das Kino zu stürmen. Was dann folgen würde, kann keiner wissen, aber wir malen uns aus, was wir angerichtet hätten, käme es hier zum Eklat, nur weil wir uns in den Kopf gesetzt haben, die Frauen ins Kino zu bringen.

»Wir sind auch Kinder!«, rufen die Halbwüchsigen, die so gar nichts Kindliches haben. Wir entscheiden, den Druck zu lockern, indem wir den unteren Saal für alle Männer öffnen, die Balkons aber für die Frauen reservieren.

Im Nu ist der gesamte Zuschauerraum bis auf den letzten Platz besetzt. Es ist lange her, seit man so etwas hier gesehen hat. Jetzt sitzen einige selbst am Rand und im Gang auf dem Boden. Der Strom der Wartenden hat sich komplett in den Innenraum ergossen. Als ich von oben wieder auf die Straße sehe, stehen nur noch ein paar Unschlüssige dort. Keine Frau weit und breit. Es ist fünf vor zwei.

»Sie werden im letzten Augenblick kommen«, sagt Nadia. »Wenn alle anderen schon im Saal sind. Dann kommen sie.«

Aus dem Saal dringt nun ein sporadisches Pfeifen herauf, lauter ist es geworden, zwischendurch kommt es zu Rangeleien, aber all das ist bloß halbstark, nicht beängstigend. Hinter dem Vorhang wimmert das Soundsystem, auch bewegen sich mal ein paar Schatten auf der Leinwand, worauf es gleich ruhig wird, aber ebenso ruhig ist es auf dem Frauenbalkon, auf dem ich ganz allein sitze.

So wie die Lage ist, wird mir angst und bange bei der Vorstellung, die erwartungsvolle und nicht gerade friedfertige Menge mit einem Stummfilm von Stan Laurel und Oliver Hardy zu empfangen. Wir beraten uns also im Projektionsraum und kommen überein, angesichts der wenigen im Saal, die vielleicht für ihn empfänglich wären, den Kinderfilm erst einmal gar nicht zu zeigen.

Ohrenbetäubendes, triumphierendes Gellen, als jetzt auf der Leinwand ein tanzendes Paar erscheint, das zur Musik seine Schritte absolviert, dann aber auf den Bühnenboden rutscht, plötzlich gegen die Decke springt und dort verschwindet. Dazu bringt die indische Musik ohne alle Bässe die Lautsprecher fast zum Zerspringen. Dreht man sie leiser, wird sie vom Brummen der Boxen fast übertönt.

Stille. Alles aus. Pfiffe, Johlen, Zustimmungsrufe im Saal. Inzwischen tanzen rote Laserpunkte aus den Zielfernrohren pakistanischer Plastikgewehre über die Leinwand. Dort treten jetzt Mann und Frau zum Schachspiel aus dem Dämmerlicht. Kaum gibt es eine Totale, suchen die Laserpunkte den Schritt der Frau und krakeln darin herum. Steht sie auf, flammen noch mehr Lichter auf, und die elektronische Zudringlichkeit bemächtigt sich der Oberarme, der Oberschenkel, der Lippen, der Brüste, der Scham.

Nadia und ich sehen den technischen Proben vom Frauenbalkon aus zu. Wir sind dort noch immer allein. Nadia nimmt die Geräusche des Saals für ihren Bruder in den USA auf, ein imponierendes Aufflammen von Krakeelen, Schimpfen, Jubeln, Lachen, Drohen. Um Viertel nach zwei ist der Saal ganz still, der Film hat mit scheppernder Klaviermusik und der Todesanzeige für zwei Soldaten begonnen.

Es wird jetzt ganz schwül auf dem Balkon von all dem aufsteigenden Atem. Was immer auf der Leinwand erscheint und sich im lichtschwachen Farbnebel der Projektion materialisiert, wird mit offenem Mund verfolgt, und zwischendurch drehen sich die Köpfe neugierig, um nachzusehen, ob sich jetzt Frauen auf dem Balkon befinden. Nadia. Sonst keine.

Doch erscheint jetzt eine Frau auf der Leinwand, und gleich ist es mucksmäuschenstill. Sie läuft durch einen Park, ohrenbetäubende Musik setzt ein. Die Lichtpunkte suchen sich ihre Wege zu Brüsten und Beinen. Die Frau läuft durch Straßen, schwebt Treppen hinauf und hinab. So neckisch wie unmotiviert schreibt sie »I love you« auf eine Schultafel und läuft weiter. Mit ihr laufen die roten Laserpunkte, und sie wissen besser, was sie wollen, als die Protagonistin, die gleich vergessen ist, als Offiziere auf der Leinwand erscheinen, ein Helikopter einen Mann in der Nacht aussetzt, ein anderer mit einem Schlauchboot auf ein Kriegsschiff zurast.

»Vielleicht lassen die Frauen ja nur den Anfang verstreichen und kommen dann. So fallen sie jedenfalls nicht so auf«, sagt Nadia, die Unermüdliche. »Ich weiß von ganz vielen, dass sie kommen wollten.«

Im Vorführraum ist inzwischen ein hiesiger Filmschauspieler eingetroffen, und während der Film da draußen seinen unaufhaltsamen Gang geht, setzen wir uns auf den Boden, und er erzählt von den Sketchen, die er produziert: vom einfachen und naiven Mann auf dem Lande, von betrügerischen Ärzten, die horrende Honorare für nichts nehmen, von Junggesellen, die keine Frau finden, vom Selbstmörder, der sich nicht traut.

»Die Leute lachen nur über Dinge, die sie kennen. Liebesgeschichten verfilmen wir nicht, aber in unseren Lehrfilmen dürfen auch junge Frauen mitspielen, wenn sie sich trauen.«

Was selten ist.

Andererseits gibt es eigentlich keinen Unterschied zwischen dem Kino der USA und dem Afghanistans:

»Der Unterschied ist nur, wir haben bloß eine Kamera, kein richtiges Bühnenbild, kein Licht und all diese Technik nicht. Auch sind die Dialoge in Amerika besser, und wir improvisieren viel, aber sonst...«

Als ich zurück auf den Frauenbalkon komme, sitzt dort ganz allein Turabs hochschwangere Frau mit ihren beiden kleinen Töchtern. Was sie gerade sehen, ist Krieg.

»Vorsicht, das ist ein Kino!«, hat man ihr am Eingang

wohlmeinend, aber warnend gesagt, und da gab es nichts zu antworten. Sie weiß, wie Kino heute ist.

Wird im Film länger gesprochen, setzt anschwellendes Pfeifen ein. Erscheint eine Frau, wird es still. Und welche Verschwendung an jungen Frauen in diesem Film! Schrillt nachts das Telefon, schrecken sie im Nachthemd hoch und wälzen sich zum Gerät, dass es eine Sünde ist.

Die Straße vor dem Kino liegt jetzt ganz ruhig. Weit und breit keine Frau, kein Mädchen. Im Saal Pfeifen und Trampeln.

»Aber wenigstens haben wir den Männern die Welt des Frauenfilms nahe gebracht«, sage ich, denn inzwischen ist auch Nadia die Hoffnung ausgegangen.

Die Leinwand zeigt Geschützfeuer mit einem Gewimmel von roten Laserpunkten darin. Wir gehen. Turabs Frau wird fünf Minuten später folgen. Doch nur, wie wir später erfahren, weil sie den Film so langweilig fand.

»No woman!«, ruft mir ein Mann im Foyer zu, nicht gehässig, aber triumphierend, als ich das Kino verlasse, so, als sei er stolz auf die Frauen von Kunduz.

Als Nadia die Treppe herunterkommt, zuckt der Vorführer bedauernd die Achseln:

»Das Kino ist einfach nicht mehr wie früher«, meint er.

Wir haben es nicht geschafft, überhaupt nicht. Ich sehe mir auf der Fassade das Plakat unseres Frauenfilms an. Es zeigt überlebensgroß das hassverzerrte Gesicht eines Kriegers, daneben kleiner einen schwülstigen Jüngling mit gesenkter Maschinenpistole, ganz klein einen Galan mit Seidenhalstuch und daneben eine Schönheit im Bikini-Top.

Wir haben den Film nicht zu Ende gesehen. Aber seine Dramaturgie war bestimmt weiblich.

Würde Afghanistan je touristisch, dann ist Buskaschi das, was des Landes »Pamplona« werden könnte, ein atemloses, wildes Reiterspiel um ein totes Kalb, das sich berittene Krieger, Nomaden, Hirten, Viehtreiber, Soldaten, Turkmenen, Paschtunen, Tadschiken abjagen, inszeniert in einer riesigen Arena. Das ursprünglich mongolische Reiterspiel soll einmal Teil der Hochzeitszeremonie gewesen sein, wie ein Ethnologe im 19. Jahrhundert berichtet: »Die junge Braut in ihrem Hochzeitskleid besteigt tapfer einen feurigen Renner und spornt ihn zum Galopp. An ihrem Sattelknauf trägt sie ein Zicklein oder Lamm, frisch getötet. Der Bräutigam und die anderen anwesenden jungen Männer, ebenfalls zu Pferd, versuchen sie einzuholen. Aber sie soll durch geschickte Manöver und schlaue Wendungen der Verfolgung entgehen, damit keiner nahe genug kommt, um ihr das tote Tier, das sie an die Brust presst, zu entreißen.«

Bis das »Spiel« touristisch werden kann, ist es sportlich, therapeutisch, ein Volksspektakel, so archaisch wie gefährlich, ungezügelt und aus der tiefsten Tradition in die Gegenwart reichend.

Wir verlassen das Zentrum von Kunduz. Über dem Stadtrand lastet eine Staubwolke, sie lastet über einer Sandarena von einem Quadratkilometer Fläche, auf zwei Seiten umgeben von einer natürlichen Tribüne aus den schwach begrasten Hängen. Tausende von Menschen hocken hier, dicht gedrängt in Beige und Weiß, in weiten Hosen und Westen, mit Turbanen, gebundenen

Tüchern und Käppis, manche auch in Reitermonturen, gelassen die Gebetskette durch die Finger gleiten lassend oder aufgebracht in die Arena rufend, wo sich Reiter und Tiere zu einem wogenden Knäuel zusammenballen.

Der Staub ist materialisierte Atmosphäre, er wogt zwischen den Reitern, schwappt über die Hänge, färbt die Gesichter, legt ein Sfumato über die Ebene. Mal tauchen aufsteigende Pferdeköpfe aus dem Dunst, mal kreist ein an der Flanke seines Tieres hängender Reiter am Rande des Pulks, mal prescht einer ins Zentrum des Geschehens und wird sogleich nach außen gedrängt, der Fliehkraft eines Zentrums folgend, in dem ein einzelner Reiter am ausgestreckten Arm den Balg des bis zur Unkenntlichkeit versehrten Kalbs gerade so über den Boden hält, dass er nicht zwischen die Hufe gerät. Hoch recken sich die Peitschen. Die mit Henna gefärbten Mähnen und Schwänze der Tiere wischen Farbspuren in Rost und Rot durch die Staubwolken, und ganz außen, wo sich die Energie verläuft, reiten einige prachtvoll ausstaffierte Alte im Ornat des Kämpfers, berittene Zuschauer eigentlich, die den Pulk umkreisen auf der Suche nach dem besten Blick.

Dann setzt sich die Meute ruckhaft in Bewegung, schaukelt nach einer Seite, die Flanke dünnt immer weiter aus, bis die Bewegung stockt, die Menge klumpt und wieder über einer neuen, instabil schwankenden Mitte aufsteigt. Die Tribüne wird durch einen einzigen, auf einem Stock befestigten Lautsprecher beschallt. Jemand kommentiert das, was kaum zu sehen ist, eher protokollarisch als enthusiastisch, und auch die Menge wird erst laut, wenn sich der Pulk einmal für eine längere Zeit bewegt und sich ein Ausreißer für ein paar mühsam gewonnene Meter behauptet. In kürzester Zeit aber ist ihm der Kadaver wieder entrissen, und fort stürmt der nächste Staubfänger und jagt im Zickzack das Rund ab, seine Trophäe am ausgestreckten Arm.

Der Staub wogt, er rafft die Silhouetten der Pferde mit sich, dann wird wieder das Karmesinrot der bestickten Pferdedecke sichtbar, das Hellgrau hochzuckender Hufe, die panisch aufgerissenen Augen der Tiere. Es geht um alles. Kostbare Pferde sind dies, ungezügelte, unbezähmbare Hengste, abgerichtet, aus dem Gewirr der mit Stock und Peitsche verstärkten Befehle den einen zu isolieren, der den Pferdekörper so in Stellung bringt, dass sein Reiter abtauchend, mit festem Griff den Kalb-Kadaver packend, sich die Beute erjagen kann.

Inzwischen stehe ich in einer Traube von Zuschauern, die offenbar bemüht sind, das Spektakel mit meinen Augen zu sehen, zu blicken, wohin ich blicke. Wenn ich mich umwende, die Tribüne zu betrachten, dann werden sich fünfzig Köpfe wenden und die Tribüne absuchen. Was gibt es da zu sehen?

Nadia, die einzige Frau im weiten Rund der Arena, musste inzwischen zum Wagen geführt werden, zu aufdringlich wurde sie umlagert. Aber da sich uns der Pulk der Reiter manchmal so dicht nähert, dass alles in der Umgebung in sämtliche Himmelrichtungen spritzt, hat auch sie noch einen guten Blick und befragt bei heruntergekurbelter Scheibe die halbwüchsigen Gaffer, für die sie selbst die einzige, die wahre Sensation ist.

Ein Kommen und Gehen ist auf den Tribünen, man wettet, trifft Verabredungen, breitet bestickte Pferdedecken aus und isst. Halbwüchsige spucken erwachsen in den Sand, einmal geht einem schwergewichtigen Mongolen fast das Pferd durch und prescht auf die Tribüne zu. Doch mit Gewalt kann er es gerade noch wenden, ehe es blindwütig in die Menge stürmt, die bereits eine Gasse gebildet hat.

Die Sonne ist hinter dem Staub nur noch als Scheibe erkennbar, blau, staubblau und grau senkt sich die Atmosphäre, in der die Fetzen der Anfeuerungsgesten Akzente setzen. Der Lautsprecher scheppert.

Zwei Jungen haben einem Veteranen eben das geschundene Tier abgejagt, sie halten es zu zweit, synchron nebeneinander, ehe der eine mit einer geschickten Finte ausweicht, das Tier auf seine Seite zieht und jubelnd die Runde beendet. Ein Achtzehnjähriger hat gewonnen, ein tollkühner turkmenischer Draufgänger, der sein Pferd jetzt vor der Tribüne aufsteigen lässt, während die Lautsprecherstimme seinen Triumph feiert, Geldscheine über die Menge regnen und sein Hauptgewinn im Gegenwert von fünfhundert Euro verkündet wird.

Der Sieger lenkt sein Ross noch einmal in die Steilwand der Tribüne, Bewunderung schlägt ihm entgegen, dem Unbändigen, der schon mit der Reife eines Erfahrenen den Jubel quittiert, und während nun alle langsam durch die Ebene der Arena ziehen, auch manches Motorrad angeworfen wird, gehen immer noch kleine Mädchen mit Tee in der Kanne durch die Menge, den sie für zwei Afghani pro Tasse verkaufen.

»Magst du Pferde?«, frage ich eine.

»Nein, sie machen mir Angst.«

Im Krieg hat man beim Buskaschi statt einem toten Kalb auch mal den Leib eines Gefangenen eingesetzt.

Beim abendlichen Palau berichtet Turab, angeblich seien etwa fünfzig Frauen zum Kino gekommen, vom Anblick der Männerhorde eingeschüchtert, seien sie jedoch rasch wieder umgekehrt und hätten den Rückzug angetreten. Konnten wir verhindern, dass so viele Männer erscheinen?

Die Orgelstimme fällt ein: »Ihr habt es ja heute im Kino gesehen: Das ist eine kriegsgeschädigte Jugend. Ihr hättet in große Schwierigkeiten geraten können.«

»Wir hätten es nicht verhindern können«, sagt Turab. »Diese Männer sind so ausgehungert, die haben so lange keine Frauen gesehen, die wären immer gekommen, auch nur zum Gaffen.«

Abends erscheint auf dem Fernsehschirm das völlig verschneite Bild einer indischen Filmpreisverleihung, die vielleicht vor Jahren über die Bühne ging. Fernsehprogramme müssen billig sein. Deshalb weiß man hier nie, was aktuell und was gut gelagerte Konserve ist. Man ist Zeitgenosse vieler Jahre. Die indischen Preisträger auf dem Bildschirm strotzen vor Bescheidenheit, sind dankbar, dienen zu dürfen, ihr Publikum zu erfreuen. Alles wie überall, doch hier tönt es wie ferne Zukunft.

Das afghanische Fernsehen ist vor allem ein Museum der Menschen. Die Exemplare, die es aufbewahrt, sind eingelegt in eine diffuse Lauge aus Streulicht, matt konturiert, grüntonig verstrahlt. Niemand spricht offensiv, niemand nimmt die Kamera an, agiert hin zu ihr. Vielmehr wirken die meisten Menschen, als hätten sie im Fernsehen das eigene Verschwinden gesucht.

Nadias Onkel war ein leidenschaftlicher, wenn auch glückloser Liebhaber des Fernsehens. Immer neue Antennen errichtete er, allerdings ohne dafür mit Empfang belohnt zu werden. Eines Tages, nach Wochen des Wartens, erschien ein einzelnes Bild, eine Landschaft in Tadschikistan, die der Onkel gleich erkannte. Zwar war sie im nächsten Augenblick wieder weg, aber die Magie hatte ihre Schuldigkeit getan: Ein weit gereistes Bild, ein Bild aus der Ferne, war in des Onkels Wohnzimmer angekommen, und er saß andächtig vor dem Apparat, der für Sekunden diese entlegene Landschaft in den Salon geholt hatte.

Nach dem Abendessen probiere ich eine Burka an. Wie viel Bewegung erlaubt sie, wie weiträumig ist das Gesichtsfeld? Zunächst einmal ist es heiß und umständlich, das Blickfeld wird diffus durch das Gitter und eng wie ein Rohr, so klein ist der Ausschnitt. Ungeübt, müsste ich mich auf der Straße wohl führen lassen.

Manchmal zupfen sich die Frauen mit den Händen an den Gesichtsfenstern, haben aber vorher ihre Hand geschmückt, wenn nicht mit Henna-Mustern bemalt. So geben sie zu erkennen, wer sie sind. Neben allem, was sie sonst noch bewirkt: Die Burka nährt auch die Phantasie der Frauen.

Christian, der Fotograf, streift die Burka über und wagt einen Cancan, der so grotesk ausfällt, dass alle lachen wie über einen seltsamen Exorzismus. Christian, die rasende Burka. Doch Mirwais warnt:

»Trägt der Mann die Burka der Frau, hat sie hinterher die Hosen an!«

Es ist unser Abschiedsabend in Kunduz. Der Stolz unserer Gastgeber verhindert zu viel Rührseligkeit. Turab wird bleiben und andere Besucher mit seinen Witzen erheitern, seine Frau wird bald entbinden, der Alte mit der Orgelstimme wird sich am Aufbau von Kunduz beteiligen. Man wird die Reisernte abwarten und die Mandeln ernten, der Winter wird hart werden, im Frühjahr wird die Steppe blühen, und alle werden sagen, dass dies die beste Zeit für ein Picknick ist:

»Dann müsst ihr wiederkommen, dann bauen wir ein Zelt auf und breiten Decken aus und schlafen nachts in der Steppe wie früher. Dann wird es wunderschön.«

Und damit man ihm seine Rührung nicht ansieht, steckt sich Turab umständlich eine »Pine lights« an und studiert den Packungsaufdruck »American Taste«. Dieses Mal schließt sich kein Scherz an.

Jeder sagt, das Eis des Friedens ist dünn. Keiner traut dem Schweigen der Waffen. Aus dem Süden wird täglich von Kämpfen berichtet. Die Hälfte der Bevölkerung lebt nach wie vor im Ausland, viele von ihnen haben eine akademische Ausbildung, möchten heimkehren, verlangen aber bessere Bedingungen, geklärte Eigentumsverhältnisse, bessere Bildung der Frauen etc. Und schließlich: Wie werden sich die Exilierten ohne Traumata mit denen verständigen, die von Jahrzehnten des Krieges gezeichnet sind?

Vier Kinder spielen mit Murmeln vor einem ausgebrannten Panzer. Als wir uns nähern, erstarren sie, dann sagt ein Mädchen mit einer fatalistischen Bereitwilligkeit:

»Ihr kommt, um uns zu schlagen.«

»Warum sollten wir das tun?«

Mirwais erklärt: Seit die Taliban alle Spiele verboten, erwarten die Kinder immer noch Strafen dafür.

Die Architektur der Armut bemüht überall die gleiche Formensprache, die gleichen Lehmkuben, die gleichen Fensterschächte, die gleichen aus Stroh und Erde gefertigten Dächer, die gleichen hohen Umfassungsmauern, oben abgerundet. Glas ist rar, Ziegel sind nur für Reiche, und einzig die Außentore werden bunt und prachtvoll bemalt. Alle Phantasie fließt in diese Dessins, damit man unter all dem Gleichen etwas Unterscheidbares, Einziges hat.

Auf dem Dorf: Kinder, die mit einem Magneten durch den Abfall streifen, Blechdosen suchen. Sie raffen aber auch altes Brot an sich, das sie zu Hause zu Mehl verreiben und wieder zum Backen verwenden.

Jetzt umringen sie den Wagen, starren Nadia an, können nicht von ihr lassen:

»Ja, habt ihr den keine Mütter, keine Schwestern?«, fragt sie. Die Kinder bleiben. Nichts, was sie nicht interessant fänden an ihr. Immer mehr drängen heran, schauen, als könnten sie nicht genug bekommen.

»Warum blamiert ihr mich so vor unseren Gästen?«

Das hilft.

Aber andere drängen nach, Halbwüchsige und Männer, die Stimmung erreicht eine ungute Gemengelage aus Neugier und Aggression:

»Was wollt ihr hier überhaupt?«

»Wir interessieren uns für eure Kultur.«

»Ach was, lasst uns, wir schaffen das alleine.«

In einem Glaskasten, nur Meter entfernt, ein ISAF-

Plakat mit den Fotos von schwer bewaffneten Soldaten, ein jeder neben der Flagge seines Landes und auf dem Grund der Provinz, in der er Dienst tut. Dem Analphabeten vermittelt sich das Bild einer Schutzmacht im Gewand der Aggressoren. Gewalt behauptet jeden Fleck auf der Landkarte.

Nicht weit von der Straße siedelt in der Ebene eine Nomadenfamilie, die drei Zelte aus Ziegenhaar gewebt, grau, flach und breit gespannt. Im Inneren hohe Stapel von Wolldecken, Teppichen, Planen, Decken, die Frauen abgewandt, eine Alte brabbelnd auf der Seite. Vier Söhne und sechs Töchter hat der Familienvorstand von einer einzigen Frau, aber auch den Bruder und die Schwester beherbergt er. Erst vor zehn Tagen ist hier ein Kind zur Welt gekommen.

Im Nachbarzelt hat ein anderer Bruder seine Familie aus neun Söhnen und zwei Töchtern zu ernähren. Aber man sieht nur etwas Suppe über dem offenen Feuer, daneben wartet eine Portion Hülsenfrüchte mit Brot. Außerdem besitzen sie etwa dreißig Tiere, Rinder, Schafe und auch zwei Esel. Dann und wann verkaufen die Nomaden ein Stück Vieh, aber nur das männliche. Sie sind Selbstversorger, backen, schlachten und tauschen, was sie nicht selbst produzieren können.

Jetzt würde die Frau ihres Kommandanten gern sesshaft, Halbnomadin werden, mit einem Sommersitz am Salang-Pass, wo es kühler ist, und einem Winterlager im Süden. Aber kann der Herr des Zeltes so aus seiner Geschichte ausscheren?

Er wiegt den Kopf mit dem dichten weißen Bart und kaut seinen Tabak wie unter schwerer gedanklicher An-

strengung. Aus einer hundertjährigen Kommandanten-
familie stammt er. Auch die Nomaden, sagt er stolz, haben die Truppen gegen die Russen unterstützt, haben
Essen besorgt, haben gekämpft. Der Krieg hat sie nicht
mit voller Wucht erreicht. Aber in seinem Gefolge sind
Viehdiebe und Räuber gekommen, marodierende Banden und Gewalttäter. Man hat hier in Angst um die Kinder gelebt, hat die Frauen versteckt und versucht, unauffällig zu bleiben.

Und man hat weitergearbeitet, als gälte es, gerade in
diesen Zeiten an der Tradition festzuhalten, an allem,
was Nomaden immer taten: weben, sticken, arbeiten
mit Filz und Leder, die Tiere hüten und ein wenig von
dem Ziegenkäse produzieren, den mir der Alte gleich in
die Hände legt: walnussgroße, vom Kneten in der Hand
leicht warm, leicht grau gewordene Ballen, die nach
Erde und Ziege schmecken, leicht scharf und so wasser-
löslich, dass sie, in heißes Wasser geworfen, eine käsige
Brühe abgeben. Wasser zum Waschen dagegen gibt es
nur einmal im Monat.

Eine Alte sitzt abseits mit zitternden Lippen, das Profil
weggerafft. Es geht eine Störung durch das Zelt. Sie alle
sind offenbar geübt, mit den Blessuren der Vergangenheit umzugehen, denen der anderen und den eigenen.
Aus einem Deckenstapel kriecht ein kleines struppiges
Kind, ganz in schweren bunten Kleidern mit bestickten
Borten, ein anderes schält sich aus der Hängematte.

Vollnomaden sind sie, auf dem Weg in die südliche-
ren Provinzen, wo der Winter weniger scharf ist, doch
wo immer noch Krieg geführt wird.

»Gib mir Medizin für meinen Fuß«, brabbelt jetzt die
Verwirrte. Wir holen ein paar entzündungs- und

schmerzhemmende Präparate aus dem Auto, dazu Kleider, die wir entbehren können.

Über die Berge ziehen jetzt Regenwolken, es wird immer grauer, einzig die bunten Kleider der Kinder leuchten noch durch die trübe Atmosphäre, und wenn die Kleinen ausschwärmen, um Brennmaterial zu sammeln, vor allem Holz und mit Tierkot versetztes Stroh, sehen sie aus der Ferne wie Gebirgsblumen aus.

Sie kennen sich aus mit Taranteln, Schlangen und Skorpionen, und sie erkennen die Spuren von Wölfen und Schakalen, die in der Nacht das Vieh umschleichen, haben an wilde Tiere und an Minen schon so manches Schaf verloren, doch selbst der sechzehnjährige Hirte der Truthähne agiert der Gefahr gegenüber mit der Abgeklärtheit des Alten, der, wie wir gerade noch erfahren, erst 46 Jahre zählt. Das Leben aber hat ihn in einen gegerbten Greis verwandelt.

Mirwais hat zu seiner Zeit als Mudschahed immer wieder mit Nomaden zusammengearbeitet. Eine gute Zusammenarbeit war das, sagt er, nur führen ließen sich diese Rastlosen nie. Da sie keine Befehle annahmen, hat man sie damals zum Waffentransport eingeteilt und eigene Wege wählen lassen.

»Wenn du einen Nomaden beleidigen willst, musst du sagen: Gott möge dich in einen Raum mit vier Wänden einsperren! Das ist das Schlimmste. Das wirkt.«

Auf dem Weg zurück nach Kabul passieren wir auch wieder das Haus des alten Kommandanten, von dem Khaled so viel erzählte. Hat er nicht seinen Leuten den Picknickplatz geschenkt, an dem man uns auf der Hinreise so gastfreundlich bewirtete? Hat er uns nicht so dringlich zum Tee eingeladen, dass es jetzt ein Affront wäre, nicht zu erscheinen? Wir klettern seinen Hang hoch. Das Haus liegt gut geschützt in einem dichten Verbund mit anderen Häusern, die aber weniger weiträumig sind. Hier gehen gleich zwei Säle ineinander über, aber die Einrichtung ist karg.

»Wir haben von Ihrer Großzügigkeit schon gehört. Sie haben den Bürgern den Picknickplatz geschenkt, auf dem man uns auf der Hinfahrt so freundlich empfangen hat.«

Er wehrt ab: »Wir haben drei Meter Erde und vier Meter Himmel. Wie kann man da großzügig sein?«

In Kabul angekommen, wird Nadia gleich sorgenvoller. Sie schleift ihre Wurzeln noch hinter sich her. Wir suchen ein Restaurant, in dem wir noch um 19 Uhr essen können. Im »Haji Baba« trifft das Essen halbkalt ein, doch Mirwais nimmt die Köche in Schutz:

»Der Krieg hat auch unsere Essgewohnheiten verändert. Früher aßen wir bis in die frühen Morgenstunden. Dann kam die Ausgangssperre ab Einbruch der Dunkelheit. Da aß man um 17 Uhr, um rechtzeitig zu Hause zu sein. Die Menschen haben sich noch nicht umgestellt. Der Hausarrest ist vorbei, doch wir essen sicherheitshalber immer noch, bevor es dunkel wird.«

Als wir im Finstern ins Hotel fahren, betet ein Alter auf dem Grünstreifen der Schnellstraße.

Miserable Nacht in einem anderen Zimmer unseres alten Hotels. Das Bett zu kurz, von zwei Elektroöfen bestrahlt. Am schlimmsten aber ist: Das Bett steht scheinbar mitten im Straßenverkehr. Jedes Fahrzeug fährt direkt hindurch, ich unterscheide Benzin- und Dieselmotoren, Einzylinder und Zweitakter, höre die Viertonhörner schwerer Lastwagen oder Busse, frisierte Motorräder, Mopeds, unterscheide Mercedes- von Toyota-Hupen und versuche es mit dem alten Trick, den Lärm nicht abzuwehren, ihn anzunehmen.

Es hilft nicht. Ich lege mich mit den Füßen zum Fenster, schiebe nach einer Stunde das Bett zur Tür, zerre die Matratze in den dem Fenster abgewandten Teil des Raums, wo der Lichtschein aus dem Flur durch die Riffelglasscheibe dringt. Gegen drei Uhr wird es draußen ruhiger, gegen halb fünf, noch vor dem Einsatz des Muezzins, stottert der Verkehr wieder in Brocken auf die Straße.

Ich verlasse das Zimmer und wage mich hinaus, wo mir der junge Soldat vor dem Außentor entgegentritt. Wir radebrechen ein bisschen. Ich frage nach seiner Ausbildung, Stunden später wird mir Nadia die Antwort übersetzen:

»Wir sind doch alle vom Krieg verbrannt worden. Ich kann nichts, gar nichts.«

Seit einiger Zeit recherchiere ich für ein Buch mit Interviews ehemaliger Guantánamo-Häftlinge.* Ich erfahre von der Möglichkeit, jenen Häftling, der ehemals der Sprecher der Gefangenen im Lager war, zu befragen – und das einen Monat nach seiner Haftentlassung.

»Dieser Mann war der Botschafter Afghanistans in Pakistan unter den Taliban. Er hat bisher kein Inter-

* »Hier spricht Guantánamo.« Frankfurt a. M. 2006

view gegeben und wird keines mehr geben. Wenn Sie Glück haben...«

Mein Gewährsmann, der Letzte in einer Kette von Mittelsleuten, ist ein ehemaliger hoher Funktionär der Taliban. Nadia telefoniert mehrmals mit ihm, den keiner von uns je gesehen hat. Mirwais ist eingeweiht und findet die Unternehmung bedenklich.

Der Vermittler wird am Telefon immer kurzatmiger. Wir bezweifeln schon, dass wir ihn überhaupt je zu Gesicht bekommen, da sagt er plötzlich zu und will eine Verabredung treffen. Ins Hotel wird er nicht kommen, eine Adresse auch nicht verraten. Aber wenn wir uns abends in einem bestimmten Stadtviertel zur Verfügung halten, wird er uns anrufen und den genauen Treffpunkt durchgeben.

Als Nadia von der Universität Kabul zu ihrem medienwissenschaftlichen Studium nach Osnabrück kam, behielt sie die afghanischen Konversationsgepflogenheiten bei und eröffnete Gespräche gerne gut afghanisch mit einer Salve von Fragen:

»Und, wie geht's? Und die Familie? Die Eltern, alles in Ordnung? Die Tanten? Ja? Die Cousinen? Und deiner Großmutter geht's gut?«

Der Angesprochene explodierte:

»Was geht dich meine Großmutter an!«

Nomaden auch am Stadtrand von Kabul. Zutritt verboten. Die Zelte sind die Fortsetzung der Lehmarchitektur in Textil. Aus dem Süden sind die Bewohner hergekommen, aber hier haben sie kein Land, nicht mal einen Platz, auf dem sie lagern können. Die Straßen haben sie hierher geschwemmt, mit ihren paar Tieren, ihren Handwerken und Fertigkeiten, ihrer scheuen, zivilisationsfernen Lebensweise. Zwischen den Zelten: Alte Männer aufeinander gestützt, ein Zigeuner mit einem dressierten Äffchen, eine Alte, die selbst gewonnenen Honig verkauft, verfilzte Tiere und Kinder.

Das Oberhaupt über sechzig Haushalte bleibt am Lagereingang stehen, die Cordjacke über dem Kittel. Es bleibt dabei: Wir dürfen nicht hinein.

Bald umkreist er meine Fragen im gewohnt afghanischen Stil:

»Was macht Ihnen das Leben hart in dieser Zeit?«

»Ich bin ein alter Mann auf Wanderschaft.«

Man lässt Zeit vergehen, stellt die Frage ein zweites Mal:

»Und wenn wir Ihr Leben ein hartes nennen, wodurch wird es so schwer?«

»Der Boden ist arm, wir haben nichts, wir wissen nicht, wo wir morgen bleiben sollen. Inschallah.«

Man schweift ab, redet in die Landschaft, stellt die Frage ein drittes Mal:

»Man sollte denken, es wäre nun leichter, aber was ist es, das Ihnen das Leben heute so hart macht?«

»Nirgends sollen wir siedeln dürfen, die Regierung lässt uns im Stich, meine Kinder kann ich kaum ernähren, das Wetter hat sich geändert, der Winter wird bitterkalt, die Minen machen uns Angst, und unser Vieh wird gestohlen…«

So geht es immer weiter. Ein Thema will nicht enthüllt, es will ausgewickelt, entfaltet, von Strophe zu Strophe getragen werden. Übermorgen werden sie weiterziehen, denn es wird zu kalt in der Stadt. Bis dahin müssen sie noch ein paar Schafe verkaufen (und umgerechnet etwa einen Euro Gewinn pro Tier dabei machen).

»Aber Sie tragen einen prachtvollen Ring!«

Ich zeige auf den großen, in Gold gefassten Turmalin an seiner Linken.

»Wenn er nur echt wäre!«

Ein Kind tapst heran. Mit einer Flickenpuppe im Arm, sieht es selbst aus wie eine Flickenpuppe. Doch nein, es ist keine Puppe, es ist ein Baby mit Henna-Flaum auf dem Kopf und geschminkten Augen.

»Haben Sie in der Stadt Angst um die Kinder?«

»Wir haben Wachen aufgestellt und lassen die Kinder nicht in die Stadt. Was sollen sie auf den Straßen? Sie sollen hier bleiben.«

Inzwischen hat das Schaf zu seinen Füßen begonnen zu niesen. Das Kind klopft ihm auf den staubigen Hintern, bis es still ist und muffig davontrabt. Das Kleine blickt mit seinem verrunzelten Gesicht triumphierend auf.

Wird es je einen Lehrer haben? Der müsste sich den Nomaden anschließen, ihr hartes Leben teilen.

»Nein, nicht einmal die Nicht-Regierungsorganisationen helfen uns.«

Jetzt steigt Rauch auf, der sich in den Geruch von Viehdung und Fäulnis mischt und die gute Aussicht auf die brandneue Seiko-Werbung auf der Stirnseite des Lagers verqualmt.

Nebenan sind die Zelte der Flüchtlinge farbloser, trostloser noch. Zwischen den Lagern werden Schafe und Zicklein in die Stadt getrieben. Dort strömen sie zwischen die Ladenställe, an deren Frontseiten ihre Artgenossen zerlegt aufgehängt wurden. Manche bluten noch in den darunter stehenden Eimer. In die Ruinen zu beiden Seiten ducken sich Flüchtlinge. Die fehlenden Dächer haben sie durch Planen ersetzt.

Mirwais über die kulturellen Widersprüche: »Bei euch wohnen die Reichen in den Bergen, bei uns die Armen.« Er lacht.

Eine Philippinin hatte mal zu mir gesagt: »Eure Reichen wollen braun sein, unsere Reichen weiß. Eure Reichen sind doof.«

»Stimmt«, sagt Mirwais.

»Und welches deutsche Wort haben wir in diesen Tagen am häufigsten gesagt, welches ist dir aufgefallen?«

Seine Antwort kommt schnell:

»Ach so.«

Am Stadtrand, wo noch die alten russischen Wohnblocks für Funktionäre und Soldaten stehen, liegt auch der riesige Campus der Mädchenschule. Fünftausend junge Frauen werden hier in Grund-, Mittel- und Gymnasialstufe unterrichtet, etwa fünfzig pro Jahr schaffen den Gang auf die Universität.

Die Schulleiterin ist eine herbe Dame, die ihren Schreibtisch an der Stirnseite eines Saales postiert hat, mit gutem Blick auf die gegenüber und zu ihren beiden Seiten arbeitenden Männer. Geradezu servil treten diese von Zeit zu Zeit vor den Schreibtisch der Prinzipalin und bitten um Erlaubnis zu sprechen. Nicht immer mit Erfolg.

Jahrelang hat sie nachts heimlich Unterricht genommen und gegeben. Doch besteht sie darauf, keine Probleme gehabt zu haben, nicht in der Familie, nicht in der Gesellschaft. Sie ist Mutter von vier Kindern, ihr Mann ist Arzt, und dass die Schülerinnen bisweilen noch außerhalb der Schule geschützt werden müssen, gut, das ist der Übergang der alten in die neue Zeit.

Die wahren Probleme lauten: Die Schulmauer ist zu niedrig, in ganzen Horden steigen die Jungen auf Kisten und beobachten die Mädchen, die aus Platznot zum Teil in Zelten unterrichtet werden müssen. Klassenräume fehlen, ein Schulhof fehlt, und die Mädchen sind schwer zu kontrollieren, sobald sie frei haben. Manchmal klettern die Jungen sogar über die Mauern. Sie haben mit sich, aber sie haben auch mit den seelischen Verwüstungen der Mädchen zu kämpfen.

Die Frauen, sagt die Schulleiterin, haben Furchtbares gesehen. Über fünfzig Prozent aller Schülerinnen und Lehrer sind traumatisiert, in jeder Familie beklagt man Opfer. Die Folgen sind Konzentrationsschwächen, Aggressionsausbrüche während des Unterrichts, Depressionen bis zur Lähmung und Handlungsunfähigkeit.

Da ist der Sport geeignet zu helfen, denn für die Dauer ihrer physischen Belastung vergessen die Mädchen die psychische. Am besten aber wären Auslandsreisen, damit die Schülerinnen etwas sehen, das sie weitergeben möchten, etwas, das sie motiviert, Einfluss zu nehmen.

Ja, sie brauchen alle viel Geduld, auch die Geduld, sich erzieherisch auf den richtigen Weg bringen zu lassen:

»Aber wir bringen diese Geduld auf und haben noch nie eine Schülerin von der Schule verwiesen.«

Wir sehen dem gemeinsamen Training der Basket-

und der Fußballerinnen zu, schmächtige, nicht gerade hoch gewachsene junge Frauen mit Kopftuch, aber der Fähigkeit, Kopfbälle zu spielen, einen Pass zu schlagen, den Ball zu stoppen, ihn zu einem guten Zuspiel zu verarbeiten oder sich unter dem Korb zu behaupten.

Wenn diese Bewegungen in der Halle etwas Rührendes haben, dann weil sie mit solchem Ernst vorgetragen werden und doch so deutlich den Spaß zum Zweck haben. Sanft ist der Druck, Disziplin wird eher höflich gefordert, und wenn ein Schreien und Lachen durch die Halle geht, ist die Trainingseinheit im Grunde schon geschafft.

Das Erstaunen darüber, diese Frauen beim Normalsten zu sehen, ist selbst erstaunlich. Man sieht sie beim Spielen, Schnattern, Lachen, Schreien, sieht sie die Köpfe zusammenstecken, und das Glück angesichts solcher Normalität wirkt umso glücklicher. Der Ball ist zu platt. Alles lacht. Jemand kommt mit der Luftpumpe. Ich bewundere das Plakat eines blankbrüstigen Muskelmannes an der Wand. Alles lacht. Wir lassen den Ball unter uns zirkulieren, ganz selbstverständlich. Alles lacht schon darüber, dass es geht.

»Das Wichtigste ist die Mannschaft«, belehrt mich Massuda. »Wir sind Freundinnen, Nachbarinnen, aber das Team entscheidet.«

Sie selbst gehört zu den besten im Fuß- und im Basketball. Doch sie wäre noch besser, gesteht sie selbst, wenn sie die beiden Spiele nicht noch manchmal verwechselte.

Unser Gewährsmann ruft wegen des Interviews an. Er sei jetzt zu einem Vorgespräch bereit.

»Nehmen Sie Ihren Wagen und fahren Sie in das Mikrorojan-Viertel. Dort angekommen, warten Sie bitte auf neue Direktiven.«

Nadia, Khaled und ich bewegen uns auf den Stadtrand zu. Hier stehen noch ein paar Bäume zwischen den Häuserblocks aus der russischen Besatzungszeit. Es hängt sogar Wäsche auf den rissigen Balkonen, und mit herabgesetzter Aufmerksamkeit könnte man glauben, man befände sich in einem vorstädtischen ostdeutschen Plattenbauviertel.

Der nächste Anruf dirigiert uns durch eine Toreinfahrt, hinter der wir den Wagen zwischen den Wohnblocks abstellen sollen. Es ist dunkel, und Khaled wehrt sich heftig gegen die Vorstellung, uns allein eines dieser Häuser betreten zu lassen. Es geht nicht anders. Er wird im Wagen bleiben, beobachten.

Wir steigen aus. Zwei Männer hasten zehn Meter vor uns in einen Eingang und erklimmen hörbar das stockdunkle Treppenhaus. Im Innern des lichtlosen Lieferwagens, der vor dem Eingang desselben Hauses geparkt hat, erkennen wir zwei Männer hintereinander. Ihre Gewehre haben sie neben sich auf den Sitzen abgelegt. Sie rühren sich nicht. Also steigen wir hinter den anderen beiden das finstere Treppenhaus hinauf bis in den obersten Stock, wo die Wohnungstür schon geöffnet ist.

Erwartet habe ich einen alten weißhaarigen Imam. Konfrontiert sehen wir uns mit einem sehr temperamentvollen, rasch, viel und fließend Englisch sprechenden, humorvollen Bärtigen Mitte dreißig, dessen Augen permanent in Bewegung sind und dessen Weltläufigkeit auf eine Erziehung außerhalb Afghanistans schließen lässt.

Was im hinteren Teil der Wohnung vor sich geht, können wir nicht sehen, und er blickt sorgenvoll, als Nadia mit ihrem Handy einen Nebenraum betreten möchte. Aber da stehen nur die obligatorischen Speisen auf dem Boden, die Kissen sind angeordnet. Es gibt wahlweise Tee, Ovomaltine oder Nescafé, den er selbst, wie er zugibt, besonders zu schätzen gelernt hat. Wer hätte je gedacht, dass Taliban Ovomaltine trinken? Außerdem liegen ein paar Bonbons da, es gibt Waffeln, und in den Bücherregalen an den Wänden entziffere ich auch englische Titel.

Er mustert uns vergnügt, wenn nicht übermütig. Die gute Laune in seinen Augen ist umso ansteckender, als wir sie am wenigsten erwartet haben.

»Haben Sie Ihr gutes Englisch an der Universität oder im Ausland gelernt?«, frage ich.

»Das ist eine sehr schwierige Frage«, erwidert er.

Ich verstehe nicht, was an dieser Frage schwierig sein soll. »Aber ich will Ihnen ehrlich antworten. Ich habe Englisch gelernt im Gefangenenlager im afghanischen Bagram. Ist das nun In- oder Ausland?«

»Ich denke, heute gehört Bagram eher zu den USA«, sage ich. Aus Gesprächen mit Guantánamo-Häftlingen, die dort früher interniert waren, weiß ich, dass dieses Lager in mancher Hinsicht grausamer ist als das kubanische. In Bagram hat es Todesfälle gegeben, und die Beispiele physischer Folter übertreffen die aus dem bekannteren kubanischen Camp.

»Also ist das Englisch, in dem wir hier reden, eine belastete Sprache für Sie?«

»Natürlich. Andere Häftlinge haben es mich gelehrt. Aber es ist die Sprache, in der ich verhört wurde.«

Wir schlagen einen Weg ein, der zwischen Gesprächskonvention und der Suche nach Standpunkten verläuft. Vorsichtig nähere ich mich der Politik, sage ihm, wie beeindruckend mir die Verbreitung von politischem Wissen in der Bevölkerung scheint.

Er teilt diesen Eindruck mit Stolz:

»Jedes Kind ist politisiert. Und warum? Jedes hat ein Familienmitglied verloren. Wer hat den Onkel ermordet? Das war Hekmatyar, gegen den hat er gekämpft. Wer ist Hekmatyar? Man sagt es ihm. Das vergisst das Kind nicht.«

»Und die neue Regierung?«

»Der Strom ist weg. Man fragt: Wer ist dafür verantwortlich? Man sagt dem Kind: Ibrahim heißt der. Den merkt es sich. Der Ibrahim ist verantwortlich. Und jetzt nehmen Sie einen amerikanischen Kommandanten. Er weiß nicht mal, wie sein Außenminister heißt. In Bagram habe ich einen US-Kommandanten gefragt: Wie heißt die Hauptstadt von Afghanistan? Er wusste es nicht. Ihr bombardiert Afghanistan und wisst nicht, wie die Hauptstadt heißt?, habe ich gefragt. Wir erfüllen unsere Befehle, hat er geantwortet. Und euer Außenminister heißt wie? Das ist eine Frau, die macht eine gute Figur, fand er. Aber er dachte an Madeleine Albright. Von allen amtierenden Ministern kannte er nur Donald Rumsfeld. Der ist zuständig für mich, meinte er, den muss ich kennen. Aber die anderen … It's not my job to know more.«

Die Polemik ist scharf, doch die Tonlage alles andere als keifend. Offene Kritik an Amerika, suggeriert er, wäre unter seinem Niveau. Wir debattieren, und unser Austausch ist westlicher als mit irgendeinem anderen, den ich in diesem Land getroffen habe.

Einmal hebt unser Gegenüber sein Handy ans Ohr und spricht wenige, schnelle Sätze hinein. Dann entschuldigt er sich:

»Mein Bruder.«

Aber mir war aufgefallen, dass nicht er angerufen worden war, er vielmehr heimlich einen Wahlwiederholungsknopf gedrückt und vermutlich ein Schlüsselwort gesagt hatte: Alles ist gut, Entwarnung.

Ich versuche, seiner Biographie näher zu kommen, und er ist gleich beim Krieg.

»Als ich gerade aus Ägypten nach Afghanistan kam, feuerte Massud eine der schwersten Raketen, die er erbeutet hatte, auf einen Platz in Kabul. Es starben etwa dreißig Menschen, und ich hatte nie etwas Derartiges gesehen. Überall lagen Leichenteile, einzelne Organe und Gliedmaßen, und dazwischen liefen die Kinder hin und her und sortierten ganz geschäftig die Glieder dem jeweiligen Rumpf zu. Ich hörte nur: Der Kopf gehört dahin, das Bein muss da rüber, schnell, das da muss in den Sack, das in den da drüben. Mir liefen die Tränen runter, und eines dieser Kinder kam heran und fragte: ›Onkel, warum weinst du? Ist das etwa dein erstes Mal?‹ ›Ja, es ist mein erstes Mal‹, sagte ich. ›Ach‹, seufzte das Kind, ›ich habe es schon so oft gesehen. Schlimm ist das, dieses erste Mal!‹ Ein Kind, sagt mir das, verstehen Sie, ein Kind!«

Nach geraumer Zeit streift das Gespräch den Kern unseres Anliegens. Alles ist bereits entschieden. Der Ex-Häftling wird morgen früh in einem Haus auf uns warten, das uns noch bekannt gegeben wird. Die Bedingungen sind die erwarteten: Texttreue, gute Übersetzung:

»Und bitte: Nennen Sie mich nicht namentlich. Es wäre gefährlich.«

Bei der Verabschiedung lädt er uns zum Essen ein, was wir ablehnen. Dafür schenkt er mir einen Bic-Kugelschreiber in einem Perlenfutteral, das er im pakistanischen Gefangenenlager selbst hergestellt hat. Was für ein Souvenir!

»Sehen Sie ruhig in die Zukunft Afghanistans?«, frage ich.

»Ein Haus zu zerstören«, antwortet er, »dauert Sekunden, es wieder aufzubauen, viel, viel länger. Afghanistan wird lange brauchen.«

Beim Einbiegen in einen Kreisverkehr schneidet Mirwais mit seinem Wagen einen anderen, ohne ihn zu berühren oder zu gefährden, eine Szene, wie sie in Kabul tausendmal am Tag vorkommt. Aber die beiden Männer in dem anderen Fahrzeug folgen uns heftig gestikulierend, blockieren uns schließlich und umkreisen den Wagen mit wüsten Beschimpfungen.

Mirwais lässt die Scheibe herunter, die Männer ziehen ihre Ausweise: Zivilpolizei. Wir hätten ihren Wagen berührt und demoliert, Fahrerflucht sei der passende Ausdruck für unser Verhalten etc. Mirwais verlässt den Wagen nicht, spricht ruhig, wohl wissend, dass es um Schmiergeld geht. Hinter uns sammelt sich eine länger werdende hupende Autoschlange. Die Männer schlagen jetzt auf unseren Wagen, fordern Mirwais auf, das Fahrzeug zu verlassen. Er bleibt und redet ihnen zu, beruft sich auf den Schutz, den er der Frau und dem Gast schuldig sei.

In den Gesichtern der beiden staut sich der Zorn,

eine Gewalt, die jederzeit aus der Latenz zu brechen droht, Augen und Fäuste suchen nach ihrem Weg. Als Mirwais dann einfach anfährt und die Schlange hinter uns sich langsam in Bewegung setzt, reagieren die Männer mit einem Veitstanz, der durch ihre Ohnmacht komisch ausfällt. Eine banale, alltägliche Straßenszene, und doch bricht sich die Wucht der Gewalt, die sich in ihr staut, ganz anders Bahn, als es in Deutschland der Fall wäre.

In einem völlig verschneiten Bild sehen wir zum dritten Mal die »Tagesschau« mit langen Beiträgen über die »Pariser Krawalle«. Unsere afghanischen Freunde sitzen dabei und fragen: Warum passiert das? Es ist nicht zu erfahren. Die Bilder werden kommentiert wie die einer Sportveranstaltung. In den Augen der Fragenden sehe ich tiefes Unverständnis einer Welt gegenüber, die die Gewalt zwar zeigt, aber nicht sagt, wodurch sie motiviert wurde.

Die Straßenfotografen von Kabul: Meister zeitgenössischer afghanischer Passbildfotografie mit eigener Technik: Auf einem hölzernen Stativ ein bunt bemalter Kasten, kaum größer als ein Schuhkarton. Er kommt aus Kabul, die Linse vorne auf der Schmalseite stammt aus Russland. Man setzt sich davor, wird gebeten, den Kopf anzuheben, das wirkt denkmalartiger. Dann lupft der Fotograf den Verschluss über der Linse für einen Augenblick. Anschließend beginnt ein undurchsichtiges Hantieren, das der Fotograf schweigend und missmutig mit sich selbst ausmacht. Einmal ist ein Stück Papier zu sehen, einmal greift er mit dem belichteten Fetzen durch eine Klappe in das Innenleben des Kastens, wässert die Aufnahme, zieht sie durch das Fixierbad.

Was er anschließend zu Tage fördert, ist ein kleines, anthrazitfarbenes Negativ, das nun auf einem Brettchen zehn Zentimeter vor der Linse befestigt wird. Das Bild des so abfotografierten Negativs wird anschließend noch einmal der gleichen Prozedur unterworfen. Dann streckt mir der Fotograf eine Aufnahme entgegen, die auch in den vierziger Jahren kaum anders ausgesehen hätte.

Auf der Seite der Fotobox ein kleiner Schaukasten mit Aufnahmen von Massud und anderen bärtigen Kämpfern. Sie wirken fotografiert, als wollten sie ihrem Sterben zuvorkommen, und blicken so weit und so melancholisch aus sich heraus wie die Gesichter auf den alten Porzellanplaketten italienischer Gräber.

Unser Gewährsmann bestellt uns ins Hotel Interconti, wo er uns wieder anrufen wird. Wir betreten die isolierte Welt der ausländischen Geschäftsleute und Journalisten, die hier außerhalb der Stadt auf einem Hügel im künstlichen Klima ihres heimischen Wohlstands residieren. Also essen wir Käsekuchen in der Bar und sehen den Geschäftsleuten dabei zu, wie sie sich langweilen. Als der Gewährsmann wieder anruft, beordert er uns an den Fuß des Hügels, auf dem das Hotel liegt. Dort wartet bereits eine schwarze Limousine. Ehe wir aus unserem Wagen steigen können, um neue Direktiven zu erhalten, winkt uns ein Arm: Folgen Sie uns!

Wir landen nach kurzer Zeit in einer Wohngegend am Ende einer Staubstraße, wo die Zersiedlung einsetzt, die Häuser sich verlaufen und nur noch verloren zwischen den Grabhügeln stehen. Eine hohe Mauer trennt ein dahinter liegendes Anwesen vor zudringlichen Blicken.

Nachdem wir die Wachen passiert haben und abgetastet worden sind, führt man uns die Stufen hinauf in das Wohnhaus auf der Stirnseite. Ein paar Männer sitzen auf dem Boden der Terrasse, unsere Ankunft ist ihnen augenscheinlich nicht sympathisch. Mehr Sandalen warten vor der Tür, und aus dem oberen Stockwerk dringt Kinderlärm. Wir warten in einem kalten Salon. Der Gewährsmann ist nervös. Als der Guantánamo-Häftling aber den Raum betritt, begrüßt er diesen wie einen Sohn.

Saif ist hager, hoch gewachsen, weich. Einen Händedruck besitzt er nicht. In seinen Sessel kauert er sich, eingehüllt in ein Tuch, ganz wie er es auf dem nackten Boden des Lagers getan haben muss. Seine Stimme ist fast erloschen. Er wurde erst unlängst aus dem Lager entlassen. Sein Blick ist antriebslos. Doch durch seine Züge scheint das Gesicht noch durch, das ich früher manchmal im Fernsehen sah: Er war erst der Sprecher der Taliban, dann Botschafter Afghanistans in Pakistan.

Wir verständigen uns leise. Nadia übersetzt. Nein, heute hat er die Kraft nicht, mit uns zu reden, aber morgen, morgen … Wir glauben ihm.

Wir fahren durch ein Viertel, in dem sich heute viele der iranfreundlichen Zuwanderer oder Heimkehrer niedergelassen haben. Riesige Krater klaffen zwischen den Gebäuden. Die meisten sind zerstört, aber wo eine einzelne Wohnung noch intakt ist, wurde sie auch gleich besetzt. Zwischen den Blocks ein Kreisverkehr, in seiner

Mitte ein Rasenplätzchen samt Mast, der die Bevölkerung an ihren Herrscher unter der sowjetischen Besatzung erinnert.

»Hier hat man Najib aufgehängt, den afghanischen Präsidenten unter den Sowjets«, sagt Mirwais, der zufällig zugegen war, als es passierte. »Er hatte bei der UN Amnestie beantragt. Aber 1996, als die Taliban kamen, hat ihn die Menge aus seinem Haus gezerrt, wo er eine Zeit lang fast unbehelligt gelebt hatte. Sie haben ihn gelyncht, haben ihm Zigaretten in Nase und Ohren gesteckt und ihn mit Geldscheinen im Mund unter Verräter-Rufen aufgeknüpft.«

Aber Najib hatte Haarbüschel in seinen Fäusten, wie man nach seinem Tod herausfand. Er musste sich also gewehrt haben. Eigentlich war er, wie später eingeräumt wurde, im Rahmen der historischen Umstände kein so schlechter Staatschef.

»Andererseits«, fügt Mirwais hinzu, »hatte er als ehemaliger Geheimdienstchef auch selbst viele Afghanen auf dem Gewissen.«

Anders, als es jemand aus unseren Breiten tun würde, schließt Mirwais seine Erzählung ohne emotionales Crescendo ab. Mit keinem Wort spricht er von der Wirkung der Lynch-Szene. Er berichtet nur davon und verbraucht dabei kein einziges Adjektiv.

Gegenüber dem alten Parlamentsgebäude liegt der Museumsbau. Darin hatten sich ehemals die Truppen Massuds verschanzt, inmitten eines heute stark zerstörten, von Minen durchsetzten Gebiets, in dem auch Hinrichtungen stattfanden. Überall schwingt Geschichte doppelt, Bauwerke und Plätze haben eine architektonische, archäologische, kulturhistorische und eine militär- und kriegsgeschichtliche Bedeutung. Zerstörte Monumente werden unweigerlich zu Monumenten der Zerstörung.

Vor dem Ethnologischen und Archäologischen Museum, das oft geplündert worden ist, wacht ein Polizist, das Emblem des Auges auf dem Revers. Bei der Personendurchsuchung trauen sich seine Hände nur bis zur Hüfte. Anschließend passieren wir eine steinerne Tafel mit der Inschrift: »A Nation Stays Alive, when its Culture Stays Alive.« Und sie stirbt in jeder Phrase, hat doch gerade dieses Land überlebt, als seine Kultur es nicht tat.

Dieser Kultur fehlt heute – zwischen allen Auflagen durch ethnische und religiöse Gruppen – Freiheit, es fehlen ihr die Anknüpfungspunkte an die eigene Tradition, die zum großen Teil verloren ist, und es fehlen ihr immer noch Produktionsmittel und Vertriebssysteme. Eine Kultur, die sich in Werken niederschlüge und über die sich im Land eine Öffentlichkeit bildete, gibt es nicht, und es wird sie auf absehbare Zeit nur schwerlich geben können.

Umso eindrucksvoller die buddhistischen Köpfe am Eingang des Museums, die einzigen Hinweise auf eine Zeit, als in Afghanistan die hellenische und die buddhistische Epoche verschmolzen, eine Epoche singulärer spiritueller Klarheit, einer Läuterung vom Stofflichen und Sublimierung. Zum ersten Mal wurde hier außerhalb Indiens die figürliche Darstellung Buddhas erlaubt. Erst von hier aus drang das Buddha-Bild nach China.

Wie eine traurige Revision dieser historischen Rolle muss es da wirken, dass die Taliban Buddhas Abbildung verbieten und zerstören sollten. Nadia erinnert sich an eine Zeit, als wunderschöne Buddhastatuen aus dem Kunduz-Fluss geborgen und zu ihrem Vater gebracht wurden, der sie in sein Museum stellte. Verloren auch sie.

Der einzige ausgestaltete Saal setzt geradezu einen Kontrapunkt: Die delikate Körperlichkeit der Buddhastatuen trifft auf die spröde Unbeholfenheit der nuristanischen Holzskulpturen. In zwei Ahnenreihen sind sie rechts und links aufgerichtet, blindäugige Kriegerfiguren aus dem späten 18., dem frühen 19. Jahrhundert. Diese lebensgroßen Männer verschwinden fast unter ihren Helmen und Waffen. Wie die symbolischen Statthalter aller, die bis in die jüngste Zeit unter Waffen standen und lebten, wirken diese Grabfiguren.

Doch es sind auch Frauenfiguren unter ihnen. Eine Göttin reitet mit spitz hängenden Brüsten auf einem Reh. Andere Frauen tragen opulente Röcke mit geriffelten Mustern über den gewölbten Bäuchen. Aus runden Augen starren sie geradeaus, ihre Pferde geschmückt wie sie selbst, Zaumzeug und Gurte geometrisch verziert, und alles zusammen verrät einen Sinn gleichermaßen für das Erotische wie für das Ornamentale. Fesselnd, gerade weil dabei allein dem Physiognomischen keine besondere Aufmerksamkeit gilt.

Nuristan, das »Land des Lichts« im Nordosten, galt als altes Heidenland, als »Land der Ungläubigen«, denn erst spät wurde es zum Islam bekehrt. Diese Provinz hat, isoliert und abgeschirmt zwischen Pakistan und dem Panschir-Tal gelegen, eine einzigartige Holzkultur entwickelt.

Die Nuristani selbst sind die ältesten Bewohner des Landes, mit den indogermanischen Völkern Europas verwandt und der Grund, weshalb sich die Afghanen gern aus derselben ethnischen Wurzel ableiten wie die Deutschen: Blond, hoch gewachsen und grünäugig sind sie, »Arier eben«, wie man immer wieder hört. Dort oben, an der ehemals schlecht zugänglichen sowjetischen Grenze, wohnt der »homo alpinus«, der letzte Überlebende einer »sehr alten arischen Rasse«, wie auch die Forschung raunt.

Auf dem Markt blättere ich mich durch eine Kiste internationaler Zeitschriften.

Der amerikanische Verteidigungsminister Donald Rumsfeld nennt im »Spiegel« Afghanistan eine »ziemliche Erfolgsgeschichte«, die aber »leider weitgehend unbemerkt« bliebe. Auch von mir, auch am Ort. Wir haben amerikanische Panzer mit gekreuzten Flaggen in einen Kreisverkehr fahren und das Geschützrohr nach allen Seiten kreisen sehen. Wir haben Provokationen auf der einen, Aggressionen auf der anderen Seite erlebt und verfolgt, wie sich die amerikanische Hilfe außerhalb Kabuls verflüchtigt. Der Krieg im Süden hält an, gestorben wird hier täglich, und was das neue Parlament wird leisten können, steht in den Sternen. Unmöglich, angesichts eines derartigen Zusammenbruchs auf allen Ebenen von einem Erfolg zu sprechen.

Rumsfeld fährt fort: »Wir finden, dass mehr Länder einen Anteil am Erfolg in Afghanistan haben sollten.« Tatsächlich hat der Verdrängungswettbewerb eingesetzt, bevor es überhaupt einen Markt gibt.

Vor Tagen besuchten wir in der Provinz die Industrieruine einer Zuckerrübenfabrik aus den dreißiger Jahren, eine Schönheit in jedem architektonischen und technischen Detail. Ein Exil-Afghane ist nun mit Unterstützung zweier Sachsen im Begriff, dieses Denkmal in eine funktionierende Fabrikanlage zu verwandeln. Felder wurden angelegt, die ersten Testläufe erfolgreich absolviert. Die Anlage könnte schon bald den Betrieb aufnehmen, sie könnte große Teile des Zuckerbedarfs decken und wäre im Augenblick die größte Fabrik Afghanistans überhaupt. Doch der mit Eigenkapital und zahlreichen Entbehrungen erkaufte unsichere Erfolg weckt bereits Begehrlichkeiten. Die amerikanische Administration warnte den Fabrikbesitzer, forderte ihn »aus Sicherheitsgründen« auf, die Anlage aufzugeben – wie sich herausstellte, weil man selbst die Zuckerversorgung des Landes übernehmen wollte. Ein Beispiel, jeder hat eines.

Ich blättere mich durch eine andere deutsche Illustrierte: »Zsa Zsa Gabor: Ich weine lieber in einem Rolls-Royce als in einer Straßenbahn«, daneben: »Die Vermögenskultur der bleibenden Werte.« In einer pakistanischen Modezeitschrift: »Fair and lovely – The Miracle Maker«, das meint ein Bleichungsmittel für Frauen aus dem asiatischen Raum, von Hindustan Lever in 38 Ländern der Welt angepriesen mit dem Slogan: »Entdecke deine hellere, glänzendere Haut.« Nach sechs Wochen täglicher Anwendung wirke es. Noch die Ärmsten, sagt man mir, benutzen diese Produkte, weil sie sonst Angst haben, keinen Job zu kriegen und keinen Ehemann.

In einem deutschsprachigen Magazin rät ein Bankier: »Horten ist das Schlimmste. Geld gehört gebraucht.« Daneben die Anzeige der Zürcher Kantonalbank mit dem Satz: »Genießen Sie Munchs ›Der Schrei‹, ohne dabei an Gewinnwarnungen denken zu müssen.«

Über dem Viertel thront noch die alte Festung, von der aus man früher um 12 Uhr mittags die Kanone abfeuerte. Manchmal hatte man einen Feind vor die Rohrmündung gebunden.

Darunter wird im Tal auf einem großen, gestuft angelegten Arreal der Babur-Garten wieder kultiviert, der einst, im Schatten der königlichen Sommerresidenz gelegen, der beliebteste Picknick- und Ausflugsplatz der Stadt war, benannt nach dem afghanischen König und Mongolen-Sprössling, der 1526 Neu Delhi eroberte und als Kaiser über Indien herrschte. Nach dem Krieg blieb hier nichts, bloß ein rohes Feld voller von Geschossen gespaltener, teils niedergebrochener Bäume.

»Auch die Bäume sprechen von dem, was sie erlebt haben«, sagt Mirwais.

Verletzte Baumkronen, gesplitterte Stämme tun es noch immer. Hinter der Anlage steigen ringsum die Elendsviertel an, wie in Tarnfarbe gegen den Sandrücken gesetzt, und nur die bunte Wäsche auf den Leinen, die Kleidchen der Mädchen, die Drachen in der Luft sprenkeln etwas Farbe ins Bild. Doch es riecht nach Kloake, der Abfall kompostiert an der Straße, und die Gülle stürzt in Rinnen abwärts. Der Eindruck: Hier hebt man die Decke der Stadt und kann sehen, was darunter ist.

Der Babur-Garten aber liegt im Schatten dieser Besiedelung wie ein Symbol aus idyllischen Tagen, und dass er jetzt wieder leben soll, folgt dem guten Gedanken, das Nützliche und das Schöne gleichermaßen aufzubauen. Schon in einem alten Lied heißt es: »Das Kamel braucht Datteln und die Erde Blumen.«

Schon erkennt man im Babur-Park Rosengärten und Apfelhaine, im Halbrund der Felsen wird ein Brunnen plätschern, und am Ende aller aufsteigenden Kieswege sollen ein Restaurationsbetrieb, ein Gartenhaus, ein Palmengarten entstehen. Schon heute zeichnet die Idylle ihre ersten zarten Linien auf das Tableau: Die Gärtner beten in den Rabatten, ein Pärchen hat sich auf der Rasenterrasse niedergelassen. Die neue Zeit hat begonnen, die Liebenden erobern ihre Plätze.

Dass mitten in einer verstümmelten Landschaft ein königlicher Park rekonstruiert wird, ist erstaunlich genug. Dass aber über die Kriegsjahrzehnte hinweg der Zoo von Kabul unterhalten wurde, ist eine eigene Wundergeschichte. Wer schulterte in all der Zeit die Verantwortung für Tiere? Wer gab ihnen, als Menschen kaum zu Essen hatten, ihr Futter? Wer stellte in einem Land, das Tieren keine Rechte einräumt, die Kreaturen so weit über den Menschen? Wer errichtete dazu ein Schild mit der Aufschrift: »Tiere sind Geschöpfe Gottes«? Wer betreute sie im Krieg?

Grausame Geschichten ranken sich um diesen Zoo, Geschichten von Gefangenen, die dem berühmten Löwen Marjan vorgeworfen wurden. Ein Zoowärter soll im Krieg gar zum Beweis der eigenen Tapferkeit gegen einen Löwen gekämpft haben, der Löwe zerriss ihn. Da tötete der Bruder des Wärters den Löwen, in dem er ihm, so sagt der Erzähler, Sprengstoff zu fressen gab.

Heute ist der Zoo eine leicht verwahrloste Anlage mit wenig Grün, staubigen Erdbuckeln und ein paar zugewachsenen Gehegen, wo sich Laufvögel in den Schatten ducken, riesige Uhus die Nacht suchen oder Schildchen mit Piktogrammen verraten, wer hier gerade abwesend ist. In einem Käfig stehen bloß zwei Holzbetten, auf denen bleiche Knochen liegen. Die Wölfe leiden unter Hospitalismus, die Bären gehen pausenlos im Kreis, und an einem Käfig wurde ein Witz angebracht, auf dem lauter alberne Tiere Faxen machen vor dem im Käfig dösenden Homo sapiens. Kommen dann noch zwei Frauen im Ganzkörperschleier vorbei, glaubt man sich kurz mit einer fremdartigen dritten Spezies konfrontiert.

Aber es gibt noch eine große Schiffschaukel, einen kleinen Imbissbetrieb, an dem sich Männer und Frauen belauern. Unter den etwa sechzig hier lebenden Tierarten gibt es Braun- und Eisbären, einen Affenfelsen, auf dem die Paviane, vom Besucher getrennt durch einen brackigen Wassergraben, auch nicht sittlicher oder elender agieren als anderswo. Nur verlangsamt erscheinen ihre Bewegungen, bedächtiger, und so wirkt auch ihre fröhliche Exzentrik etwas weniger vital.

Doch der kleine Junge, der uns noch ganz aufgeregt und mitteilungsfreudig entgegenkommt, weiß es besser: Vor einer Stunde hat ein Affe den Ausbruch geschafft, hat erst ein Kind ins Bein gebissen und ist anschließend über alle Berge getürmt. Der Kleine konnte ihm zuerst noch folgen, dann hat er ihn verloren, es war aussichtslos.

Ich frage ihn nach dem Löwen Marjan, und seine Miene bewölkt sich mit Kindergram:

»Er war blind in seiner letzten Zeit, dann ist er gestorben. Der arme Marjan, er lebt nicht mehr!«

Der Kleine bringt mir das bei, als sei ich die Witwe. Er weiß auch andere Geschichten, wie die von dem kleinen Jungen, der in das Braunbär-Gehege fiel. Aber ein Mann wickelte seinen Turban ab, ließ die Stoffbahn hinunter, und der Junge hangelte sich ins Leben zurück.

Der Kleine ist randvoll mit Geschichten aus dem Zoo, und während er erzählt, sind seine Augen voller Leben. Nach und nach wird uns bewusst, dass er in diesem Zoo lebt. Er weiß alles von hier, kennt die Geschichten der Tiere, besucht sie wie Freunde, leidet ihre Leiden mit. Und die eigenen? Seine Mutter starb bei seiner Geburt, sein Vater wurde von einer Mine zerrissen. Nun geht er zum Schlafen allabendlich zu entfernten Verwandten, aber sein wahres Leben ist der Zoo.

Am großen Basar, gleich um die Ecke des Erziehungsministeriums, stand früher ein Kiosk für Zeitschriften und Antiquitäten. Die Besitzerin, eine aufgeklärte Frau mit Interesse an der westlichen Kultur, hatte unter den Zensoren zu leiden. Deshalb beschäftigte sie eigens einen Mann, der jedes auf den Titelbildern freigelegte Körperteil mit schwarzem Stift zensierte. Dabei schloss er die Augen und murmelte Koranverse. Oft kamen Leute und fragten:

»Haben Sie auch unzensierte Zeitschriften?«

Die Kioskbesitzerin hatte und zog Postillen unter der Theke hervor, in denen Uschi Obermeier die Moral bedrohte.

Hat sich die klare Luft verflüchtigt, gibt es in Afghanistan nur drei Geruchszonen: die Schwaden von Staub, Benzin und Diesel, die von Gewürzen, Tee und Rosen und schließlich Fäulnis und Verwesung. Auch die Gerüche haben ihre Lebensräume.

Das akustische Pendant erlebt vielleicht der Alte, der aus einem der oberen Stockwerke des Bürogebäudes am Markt in das Restaurant im Souterrain humpelt, um Nadia, die Tochter seiner guten alten Freundin, zu begrüßen. Sein Hörgerät baumelt Zentimeter vor seiner Ohrmuschel. In diesem Augenblick überträgt es vor allem das leer laufende Rauschen des gestörten Fernsehers, schnellt dann hoch zu einem durchdringenden Pfeifton. Dann mischt sich noch ein Handyton ein, jetzt der Muezzin. Was am Ohr des Alten ankommt, ist wirklich bloße Geräuschkulisse, in die sich menschliche Stimmen nur mühsam abseilen. Trotzdem steht seine würdevolle Mimik in unerschütterlichem Kontrast zum beharrlichen Krakeelen an seinem Ohr.

Wir planen eine Reise nach Ghazni, eine der ehemaligen Taliban-Hochburgen, der Ort, in den unsere Reisebekanntschaft Salema mit ihrer wiedergefundenen Tante und deren Clan reiste, und in dem wir sie gerne überraschen würden. Mirwais rät nach Tagen der Nachforschungen über die Sicherheit der Strecke ab. Zu viele Banden und unkontrollierbare Wegelagerer würden uns allenfalls erlauben, auf dem Boden des Autos liegend und ohne Zwischenstopp zu reisen. Das nimmt der Fahrt den Reiz, und ob wir Salema fänden und ihr gelegen kämen, ist außerdem fraglich. Gerne wüssten wir mehr über die mutmaßlichen Banditen. Aber mehr ist nicht zu erfahren. Diese Krieger sind gewohnt, ihr Leben nicht zu reden, sondern zu handeln. Also verzichten wir.

Zur Verlobung einer Cousine ist Turab, aus Kunduz kommend, in Kabul eingetroffen. Eine Reifenpanne auf dem Salang-Pass hat ihn fünf Stunden im Schnee festgehalten. Dann wurde mit dem Hammer improvisiert, bis Funken flogen, und der Wagen brachte die kleine Gesellschaft sicher in die Hauptstadt.

Jetzt schlendert er in den Hof des Hotels, ausgelassen, die »Pine light« im Mundwinkel, der Atem der Großstadt wie eine Aura um ihn. Triumph! Er muss es gleich loswerden:

»Am Tag nach eurer Frauenvorführung sind zweihundert Menschen ins Kino gekommen. Das gab es schon lange nicht mehr!«

Zwar waren alle Besucher Männer, und die Hälfte hatte gehofft, wieder umsonst hineinzukommen, aber immerhin, meint Turab, liegt für manchen das Kino jetzt überhaupt wieder auf der Landkarte der Vergnügungen.

Es gibt Orte, die Erinnerung herstellen, und es gibt Nicht-Orte, die nichts als Vergessen produzieren. Wir sehen der Wucherung solcher Nicht-Orte zu, die wenig mehr sind als Aufbewahrungsorte für Menschen, wie Marc Augé sagen würde. Die Soldaten und die im Land tätigen Hilfsorganisationen importieren auch solche Nicht-Orte. Container-Abladeplätze, Transithallen, Stauräume. Im Blick des Reisenden verwandeln sich solche Nicht-Orte nach längerem Aufenthalt manchmal in Orte.

Man kommt an, man sieht sich um, gibt dem Raum etwas Spezifisches, die Geschichte des Augenblicks Einfrierendes. Man beobachtet Menschen dabei, wie sie in Räumen sich und andere bewegen.

»Hey Mister, what's your matter?«, ruft ein Junge.

»No matter.«

»What are you doing?«

»Just visiting.«

Ja, der Blick des absichtslosen Besuchers hat dieses Land lange nicht getroffen.

Die Gegend rund um die Camps der internationalen Hilfsorganisationen und Militärs ist ortlos, ist Zwischenlager für Menschen. Der »Inter Shop« in Kabul soll zwar auf die Bedürfnisse der Soldaten aller Nationen antworten, die hier Dienst tun, aber auch er befriedigt vor allem amerikanische. So kann man hier neben Whiskey, Cola, Muffins zumindest eine Thermoskanne erwerben mit dem Aufdruck »Operation Enduring Freedom«.

Ringsum eine gespenstische Gemengelage der Bevölkerungsgruppen. Hier, in der alten Industriegegend, liegen heute die Behelfsunterkünfte für jene, die aus den pakistanischen Flüchtlingslagern nach Kabul kommen. Manchmal finden sie einen Platz in einer Baracke, manchmal in einem Zelt, man bemüht sich um ihre Dokumente, ihre Versorgung. Draußen donnern Spürfahrzeuge vorbei, Panzer, Jeeps, die Geländewagen der Schutzmächte und die Kleinbusse der Nicht-Regierungsorganisationen. Manchmal muss diese Gegend auf die Ankömmlinge wirken wie ein Katastrophengebiet. Dazwischen bunt nur einzelne Zapfsäulen, die Tabernakel der Gegenwart.

Von einer martialischen Festung hatte mir einmal ein ehemaliger Häftling erzählt, dem Gefängnis, das sich draußen vor der Stadt auf einem weiträumigen, mit Büschen bewachsenen Gelände einsam erhebe, einem Ort der Schrecken.

Wir fahren weit genug hinaus aus der Stadt, über die Straße, die irgendwann nach Peschawar führt, eine unbefestigte Straße, die sich manchmal ein paar hundert Meter breit durch den Sand zieht. Das Gefängnis ist inmitten eines riesigen, abgeernteten Getreidefeldes schon aus der Ferne erkennbar. Fast einen Kilometer im Quadrat misst die Fläche, die der hohe Mauerwall umgibt, den an den Ecken zinnenbewehrte Rundtürme abschließen. Der Häftling hat den Ort zutreffend beschrieben. Jetzt möchte ich das Innere sehen.

Ein paar ausgebrannte Panzer liegen im Sand, aus dem äußersten Wachhäuschen schlendert ein Siebzehnjähriger in Uniform, darf aber nicht entscheiden, ob wir Zutritt erhalten. Wir gelangen zum nächsten Posten. Dort hocken Wartende im Sand, man debattiert, auf der Außenmauer prangen die aufgemalten Flaggen mehrerer Nationen. Sogar der Wachposten selbst wurde auf die Mauern gemalt. Nur der Kommandant lässt nicht mit sich spaßen und will uns nicht einmal in den Innenhof einen Blick gewähren. In jeder harten Reaktion hier schwingt mehr mit als Verstimmung oder Laune.

Ein Land in der Hocke. Auch wenn es jetzt kalt wird, kauern die Männer noch am Straßenrand, in Tücher gehüllt oder braune Decken, und schauen auf die Straße, auf jeden, der kommt und geht, in jeden Wagen, in sich eingeschlossen und doch Anteil nehmend. Sie täten es nicht, gäbe es nicht, durch ihren Blick, genug zu sehen. Ein Land der Betrachter. Aber unter ihnen ist auch dieser eine, der sich vor jedem Auto erhebt und militärisch salutiert. Er sieht nichts mehr.

Bier-Beschaffung im »Kabul Inn«. Wir fragen, wohl wissend, dass man hier für das Trinken weniger Verständnis hat als für das Kiffen. Der Kellner nickt. Natürlich haben sie kein Bier. Natürlich kann er es besorgen. Er tritt an die rückwärtige Wand, öffnet das Fenster, lässt eine Hand hinter dem Vorhang verschwinden. Nach einer Zeit, in der wir uns schon vergessen glauben, tritt er wieder an den Vorhang, schließt das Fenster und hebt vom Boden unsere Dosen auf. Bezahlt wird bar. Er geht mit einem Gesicht, in dem sich das Bedauern des Dealers über die Sucht seines Kunden mit der Freude über die Befriedigung seiner Bedürfnisse mischt.

Am Morgen machen wir uns wieder auf ins Khoshal-Mina-Viertel am Stadtrand. Alles ist wie tags zuvor: die gleichen bewaffneten Wachen vor der Tür, die gleichen schamhaft flüchtigen Griffe bei der Leibesvisitation, die gleiche scheue Geste, mit der wir durch den Spalt des Tors geschoben werden, der gleiche Anblick dahinter: Ein kleiner Sandalen-See vor der Tür des Haupthauses, eine Gruppe beunruhigt blickender Kämpfer am Boden, davonflatternde Kleiderzipfel der ins Innere fliehenden Frauen, und dann im Parterre rechts derselbe schmucklose kalte Raum, in dem wir Saif erwarten.

Er kommt geräuschlos, trägt, was er gestern trug, verrät mit keiner Miene ein Wiedererkennen und sinkt in den Sessel wie gestern, die Füße unter sich ziehend und den Umhang um den hageren Körper raffend, bis nur noch Kopf und Hände sichtbar sind. Sein Blick streift uns sanftmütig, der Fokus aber liegt innen, wo er sich für alles sammelt, was nun kommt, und er wird Kraft brauchen.

Ein detailliertes Interview hat manchmal fast den Charakter eines Verhörs, aber wenigstens möchte ich ihm die Sprache der Lageradministration ersparen. Nadia dolmetscht Dari und manchmal Paschtu, und Saif hat keine Einwände dagegen, sich in seiner Schwäche, ja in seiner Blöße von einer Frau dolmetschen zu lassen. Doch sorgt er sich um die spätere Übersetzung:

»Ich habe in diesem Bereich Erfahrungen von früher, aber auch aus Guantánamo. Wenn wir etwas gesagt haben, wurde es falsch übersetzt. Was der Gefangene sagen wollte, wurde verdreht, entweder aus Gründen der Rassendiskriminierung oder aus anderen Motiven. Ich muss sicher sein, dass in unserem Falle so etwas nicht passiert.«

Ich frage mich, welche Erkenntnisse man in Guantánamo wohl zu Tage fördern wollte, wenn nicht einmal die Übersetzung präzise war, und verspreche ihm größte Sorgfalt.

»Gut, dann ist es in Ordnung. Im Namen Gottes. Beginnen Sie.«

Wir treten gemeinsam eine fesselnde Reise in das Leben des afghanischen Dorfjungen an, der er war, bildungshungrig, von der Unsicherheit der politischen Situation, der Gefahr auf den Straßen, der Härte seines Lebens gedrückt. Die entstehende Taliban-Bewegung versorgt ihn gleich doppelt: mit Bildung und mit Sicherheit, sie versorgt ihn später mit einer Anstellung, einem Posten als Verkehrsminister, später als Botschafter Afghanistans in Pakistan.

Das Interview fällt Saif nicht leicht. Er ringt mit Worten, antwortet knapp und so leise, dass er manchmal kaum hörbar ist. Auch wiederholt er sich, muss mehrmals ansetzen oder lange nach Vokabeln suchen. Er will weder uns überzeugen, noch will er andere anklagen, er hasst nicht, dazu scheint er keine Kraft mehr zu haben. Er berichtet, legt dar, und seine Haltung ist erstaunlich, noch wo er von Folter und von den eigenen Tränen spricht.

Schon zwei Jahre vor dem 11. September 2001, so erfahren wir, hatten die Taliban mit den Amerikanern über die Auslieferung Osamas verhandelt. Doch bestanden die Taliban damals darauf, er müsse vor einen afghanischen Gerichtshof oder wenigstens vor ein Tribunal, in dem auch drei muslimische Staaten vertreten sein sollten. Die USA lehnten beides ab und bestanden als Supermacht auf dem Recht zur alleinigen Verhandlung und Verurteilung. Das lehnten die Taliban ab, Osama blieb frei.

»Die Entfernung zwischen den Amerikanern und uns war sehr groß. Dennoch waren unsere Vorschläge logisch, und meiner Meinung nach waren die Vorschläge der Amerikaner nicht logisch und stützten sich allein auf ihre Macht. Sie wollten von uns, dass wir Osama übergeben. Amerika zeigte in dieser Sache aber keinen Respekt, sie sagten: Wer sind die Taliban, und was ist Afghanistan? Die Taliban wollten ihn aber ohne Beweis nicht an die Amerikaner ausliefern – bis die Sache am 11. September passierte und sich alles noch mehr verschlimmerte.«

Ich weiß um die Naivität meiner Frage, doch ich hätte mir nicht verziehen, sie nicht zu stellen:

»Wussten Sie auch nach dem 11. September, wo sich Osama aufhielt?«

Er zögert keine Sekunde und sagt leichthin wie auf eine Frage unter anderen:

»Nein.«

»Wo haben Sie von den Anschlägen des 11. September erfahren?«

»Ich war zu Hause und sah die Bilder im Fernsehen.«

»Haben Sie zu diesem Zeitpunkt geahnt, welche Auswirkung dieses Attentat auf Afghanistan haben könnte?«

»Es gab einige Leute hier, die sich freuten. Die Wahrheit ist, dass ich aus zwei Gründen geweint habe: zum einen, weil eine große Katastrophe geschah, die nicht sein sollte, und zweitens, weil alles, was dort geschah, auf jeden Fall Auswirkungen auf unser Land mit sich bringen würde. Afghanistan würde in Flammen stehen. Als der 11. September geschah, habe ich es am gleichen Tag verurteilt, und als die Amerikaner in Afghanistan einmarschierten, habe ich auch dies verurteilt.«

Was wir heute in Afghanistan sehen, ist zu einem nicht geringen Teil dieser Situation geschuldet. Sie prägt die Angst und die Aggression, die Vorsicht und das Misstrauen gegenüber denen, die von außen kommen und mal zerstören, mal helfen, mal heilen.

Nach Stunden unseres Gesprächs, das dann Afghanistan verlässt und sich dem kubanischen Lager zuwendet, suche ich den Weg zur Toilette. Ein kleiner Junge mit schlammbedeckte Füßen geleitet mich zu einer Tür auf der anderen Seite des Anwesens und geht. Durch das Fenster des Nebenzimmers sehe ich etwa zwanzig bärtige Kämpfer, die mit ihren Kalaschnikows am Boden kauern und mich ernst beobachten. Ich deute gestisch an, dass ich nicht in ihren Raum, nur auf die benachbarte Toilette wolle. Keine Reaktion. Also öffne ich die Klotür, löse den Gürtel und …

Das Klopfen an der Tür ist kein Klopfen, es ist ein Donnern und erschüttert die Tür. Mit heftigem Herzklopfen ziehe ich die Hose hoch, entriegele und öffne die Tür einen Spaltbreit, auf alles gefasst. Vor der Tür ein vollbärtiger Kämpfer. Mit unbeweglichem Gesicht reicht er mir am langen Arm eine Rolle Klopapier.

Saif spricht erschütternd von seinem Weg durch die Lager, seinen Jahren in Guantánamo, der Zerrüttung seiner psychischen und physischen Gesundheit. Nach Stunden kommen wir in der Gegenwart an.

»Können Sie heute wieder arbeiten?«

»Nein. Alles was ich wusste, habe ich vergessen. Ich konnte zum Beispiel am Computer arbeiten. Jetzt kann ich nicht einmal tippen. Alles habe ich aus dem Gedächtnis verloren, muss alles wieder neu lernen. Alles ist so. In diesen vier Jahren habe ich weder ein Buch gesehen noch einen Stift in der Hand gehabt noch mich fortgebildet noch etwas gehört oder etwas gelesen. Von allem war ich abgeschnitten, mein Gedächtnis und mein Kopf funktionieren schlecht, weil ich während dieser Zeit keine Beschäftigung hatte außer Nachdenken. Natürlich, wenn jemand den ganzen Tag und das ganze Jahr und sein ganzen Leben nachdenkt, wird er verrückt. Das war eine seelische Qual.«

»Haben Sie jetzt Freude daran zu lesen?«

»Kann ich nicht, es geht nicht. Ich habe viele Bücher gekauft, dort sind sie, in dem anderen Raum. Bisher habe ich kein einziges Buch gelesen. Zehn Minuten halte ich es aus, dann kann ich nicht mehr.«

»Können Sie Musik hören?«

»Mag ich nicht.«

»Haben Sie Freude an der Natur?«

»Ich war bisher noch nicht draußen, weil man mir sagte, wegen der Sicherheitslage müsse ich aufpassen. Ich bin zu Hause, versuche immer noch zu lesen, bekomme Besuch und habe Gäste, mit denen ich mich unterhalte. Ich wollte ein Buch schreiben, konnte es aber nicht.«

»Wie erklären Sie es sich selber, dass Sie nicht gebrochen sind?«

»Ja, die Amerikaner fragten mich auch, wie kommt es, dass Sie nicht verrückt werden? Wenn wir hier nur ein Monat verbringen würden, wären wir verrückt. Das haben sie wirklich gesagt. Das Einzige, was wir hatten, war der Koran, sonst nichts.«

Nach diesen Sätzen ist seine Kraft erschöpft. Er bittet, aufhören und gehen zu dürfen. Eben endet für ihn der erste Monat einer Freiheit, die diesen Namen noch nicht verdient.

Zwischen den Dünen, das heißt auch zwischen den Dörfern, die unsichtbar an den straßenabgewandten Flanken der Hügel sitzen, erscheint in der Ferne manchmal ein Motorrad, manchmal ein Pferdewagen, eine Herde. Manchmal kommen auch Beerdigungszüge über die Hügel, oder es steht ein Grüppchen Trauernder in einem Fahnenwald, den man schon von weitem als Friedhof erkennt. Einmal haben sich dort nur zehn Personen versammelt. Mirwais erläutert lakonisch:

»Eine Kinderbestattung. Bei den Alten kommen immer alle. Die Kinder waren zu jung, um viele zu kennen.«

Manchmal tritt man in eine unwirkliche Landschaft ein, und manchmal folgen die Unwirklichkeiten wie die Säle einer Zimmerflucht. Außerhalb der Stadt liegt ein toter brauner Hügel, eine kaum verschorfte Erdwunde, über der sich die Atmosphäre verdichtet. Hier erbeuteten schon die Mudschaheddin große Mengen an Waffen, und die Taliban hatten hier ihre Waffenlager. Die Amerikaner bombardierten diesen Hügel unaufhörlich, er brannte Tag und Nacht. Wo er ausläuft, lag ehemals ein Übungsplatz.

Heute hat man in dieser Ebene ein Areal gewonnen, das eine Überraschung bereithält: einen Golfplatz. Für die reichen Heimkehrer, für die Sprösslinge aus Kriegsgewinnler-Familien, für die Mitarbeiter der internationalen Hilfsorganisationen? Hier, auf dem Feld, das früher stark vermint war, spielen heute zwei Grüppchen Golf, und mag sich auch im Schatten der Böschung Müll sammeln, der Platz uneben und das Gras gelb sein, handelt es sich doch erkennbar um Golf.

Und das ist erst das Präludium. Über dem Court erhebt sich der Damm, der das in milchigem Grün opalisierende Wasserreservoir der Millionenstadt staut. Nadia berichtet von einer energischen kleinen Entwicklungshelferin aus Deutschland, stämmig, mit scharfem Organ, die den Polizisten in diesem Stausee das Rettungsschwimmen beibrachte. Man sieht sie da stehen, mit den in die Hüften gestemmten Fäusten, während die Ordnungsmacht um ihr Leben krault.

Auf dem Damm stehend, versammelt man in einem Blick das ganze Panorama des heutigen Afghanistan, von den felsig schroffen Hängen der Berge hinab in den

Smog der keuchenden Stadt, von den Hinterlassenschaften der Bomben und Granaten über die Obstgärten der Bauern, von der Kuriosität des Golfplatzes über die freundlichen Gestade des Stausees mit seinen Ruderbooten und Kähnen auf dem niedrigen Wasserspiegel, vom toten Boden zum blühenden Café auf einer Landzunge, wo gerade das erste westlich geprägte Ausflugslokal entsteht, samt beigeordnetem Bootsverleih, Gewächshäusern und Pagoden für Sommerfrischler.

Ein Club nennt sich dieses Anwesen, und vermutlich konnte er nur entstehen, weil die Hilfsorganisationen und das Heimweh Menschen und Gefühle für einen solchen Ort herausbilden. Aber man will es nicht glauben, wenn man nach allem Gesehenen durch Rohseidevorhänge auf die Veranda tritt, gut hundertzwanzig buntlederne Freischwinger aus den Vierzigern an kleinen Tischen findet, verteilt über lauter Terrassen und Sitzplätze, dazu eine gut bestückte Bar voller harter Spirituosen, Kelims, Teppiche, nuristanische Gewebe, Spiegel, Intarsienarbeiten in Stein und Ziegel.

Das Raumgefühl ist delikat, gelenkt von indirekter Beleuchtung, intimen Lichtsituationen. Zeltkonstruktionen laden geschlossene Gesellschaften ein, es gibt eine »Pool Site«, und Pferde soll man auch bald mieten können. Heilt das Land hier in den Konturen seiner Neureichenkultur?

Khaled jedenfalls steht staunend, dann entfährt ihm der Satz:

»Ach, der Frieden ist etwas Wunderbares!«

Dies jedenfalls ist, nach Exkursionen in die archaische, förmlich erdgeschichtliche Vergangenheit Afghanistans, ihr jüngster Fleck, und er empfängt seine Besucher und seine Zukunft mit dem Schild: »No Guns Allowed!«

Die alten, unzerstörten ländlichen Häuser wirken heute schon wie freigelegte Objekte einer Grabung, die Gesichter dazu wie Antiquitäten aus Terrakotta.

Und dann treten an der Straße hinter Paghman Nomadenkinder aus ihren Zeltsiedlungen, tragen einen Wollpullover mit der Aufschrift »Yes, Mum« und darüber ihre traditionell goldbestickten Westen. Frierend drücken sie sich an das frierende Vieh, und wenn nach einigen kalten Nächten Gewitter heruntergehen, drängen sich alle noch enger zusammen um eine Wärme, die sie sich nur wechselseitig geben können.

Morgens laufen hier auch die Nomadenkinder für ein paar Stunden in eine nah gelegene Schule. Anschließend arbeiten einige von ihnen im Straßenbau, und selbst die Ältesten sammeln noch Früchte oder Walnüsse oder trockenen Dung zum Verfeuern. Die Gesichter dieser zahnlosen Alten sind reine Graphik, aus Strichen zusammengesetzt. Kaum sind sie in ihrem Zelt, verschwinden sie unter einer Decke. Säcke mit Getreide stehen da, mit Brennmaterial, Blechgeschirr hängt aus dem First, jeder Gegenstand ist in einer langen Gebrauchsgeschichte stumpf geworden und erzählt. Schließlich nimmt der Alte eine Decke und breitet sie selbst über die Kälber.

Drei Schritte weiter, und wir stehen mitten zwischen den Märtyrergräbern. Manchmal sind ihre grünen Wimpel aus kostbaren Seidentüchern, die sich vom Wind fadenscheinig wehen lassen, durchnässte Fetzen, die für eine Zeit lang der Witterung trotzen werden.

Und so gehen die Siedlungen in die Friedhöfe über und die Friedhöfe in die Lagerplätze der Nomaden, und ganz oben auf dem Felsen, wo früher das »Sternenhäuschen«, ein Ausflugsplatz des Königs, war, da hat heute der Söldnerführer Sayaf seine Residenz, ringsum bewacht, abgeschirmt und einschüchternd für alle in seinem Schatten. Parlamentarier ist er geworden, der noch vor kurzem Warlord war, und die Seinen haben in dieser Gegend sein Bild in den Wohnstuben – einige aus Dankbarkeit, die anderen aus Furcht. »Wo ist mein Leichentuch, damit ich meine Taten darauf niederschreiben kann?«, steht bei Atiq Rahimi.

Khaled, der Labortechniker, ist früher in dieser Gegend von Nomadendorf zu Nomadendorf gewandert, um die Ärmsten zu impfen. Oft haben sie ihn nicht mehr weglassen wollen vor Gastfreundschaft.

Die Kinder stehen mit gerungenen Händen vor ihrem Dorfeingang und schauen. Hält man ihren Blick fest, dann lachen sie über die eigene Neugier.

Winziges, wehrhaft befestigtes Dorf mit geschlossener Außenmauer. Abseits kotzt ein Esel roten Brei. Erst verwehrt man uns – aus Angst, Abwehr oder Scham? – den Eintritt, dann werden wir doch noch zugelassen.

Ein 21-Jähriger ist es, ein Soldat auf Heimaturlaub, der uns ins Innere führt, den Widerspruch der Nachbarn riskierend. In der südlichen Provinz von Sabul, wo er Dienst tut, finden immer noch Kämpfe statt, amerikanische Soldaten »säubern« Siedlungen, wie der Ausdruck auch hier lautet, und der Junge ist unter denen, die die afghanische Vorhut bilden.

In ein kleines Haus führt er uns. Der gelb gestrichene,

kalte Wohnraum ist ringsum nur karg mit roten Decken und Teppichen ausgelegt. Wir sitzen bei Nüssen und Tee, und seine Erzählung öffnet zaghaft das Fenster in diesen Krieg im Süden, von dem man weltweit hört, aber kaum Anschauung hat, und von dem er, wie er leise hinzufügt, seiner Mutter nicht erzählen darf, sonst lässt sie ihn nicht mehr abreisen. Es ist ganz friedlich, wo ich bin, so sagt er immer, ganz friedlich.

In Wirklichkeit ist er gerade in der letzten Woche in einen Taliban-Hinterhalt geraten, den zwei Kameraden nicht überlebten. Kurz zuvor wurden zwei Autos von Minen getroffen, und auch ein Amerikaner starb. Vor einem Monat waren es im »Hirtental« zwölf Afghani, die ihr Leben ließen, und drei US-Soldaten. Er sagt das ausdruckslos, protokollierend. Es wirkt umso grässlicher.

»Die Leute sind wild in Sabul, selbst die Kinder tragen schon Turbane. Es kämpfen selbst Araber und Pakistani dort, nur die Frauen nicht. Für den Tod ihrer beiden Soldaten haben sich die Amerikaner gerächt und haben den Kommandanten des Dorfes getötet. Daraufhin begann ein Feuergefecht, in dem auch die Tochter des Kommandanten verletzt wurde. Dann haben wir den nächsten Kommandanten gefangen. Er wurde weggeschleppt, wohin, das wissen wir nicht. Wir erfahren nichts. Die Amerikaner schleppen die Gefangenen einfach weg. Von denen ist keiner mehr aufgetaucht.«

»Wer geht zuerst in die umkämpften Dörfer?«

»Immer wir. Wir gehen voraus. Sie bleiben auf dem Hügel und warten, bis wir alles durchsucht haben.«

Er sagt das ohne Vorwurf, aber mit Verachtung.

»Sie haben Angst.«

»Und wenn ihr den Befehl verweigert?«

»Das haben wir einmal getan. Wir waren den ganzen Tag marschiert und wollten dann in der Wüste schlafen. Aber die Amerikaner haben es uns verbieten wollen. Wir waren so erschöpft, dass es fast zur Schlägerei gekommen wäre. Dann haben wir uns durchgesetzt. Es hätte wohl eine schlechte Wirkung gehabt, wären wir von den Taliban so gesehen worden.«

»Gibt es Freundschaften zwischen afghanischen und amerikanischen Soldaten?«

»Im Krieg kann es keine Freundschaft zu den USA geben.« Pause.

»Und im Privaten?«

»Im Privaten auch nicht.«

»Wann werdet ihr eingezogen? Welche Ausbildung erhaltet ihr?«

»Unter uns sind Usbeken, die schon ab fünfzehn Jahren eingezogen wurden. Sie erhalten drei Monate Ausbildung, lernen, wie man einen Hof stürmt, in ein Haus eindringt, wie man Gewalt anwendet, wenn sich jemand nicht ergeben will. Sogar ein wenig medizinische Versorgung lernen sie.«

»Fünfzehnjährige?«

»Ja.«

»Woraus besteht die Verpflegung?«

»Brot aus Weizenmehl, Joghurt, der sich noch bewegt, Kartoffelgulasch.«

»Sind deine Nerven dem Krieg gewachsen?«

Zu jeder Antwort lächelt er schüchtern und blickt aus den großen dunklen Augen so innig, als müsse er mit seinen Worten für sich werben. Aber jetzt streicht er sich mit der langen zartgliedrigen Hand kurz über die Augen:

»Mich erschreckt nichts mehr. Ich habe schon zu viel gesehen.«

»Hast du jemals Mitleid mit den Feinden?«

»Ja, auch sie haben Familien, haben Vater und Mutter. Sie werden ja auch nur benutzt, werden auch in den Krieg gezwungen und können sich nicht helfen.«

Zwei andere stimmen ein: »Du hast Recht, du hast so Recht!«

»Und gibt es gute Kommandanten?«

»Nein, wenn du mich fragst: Nein. Sie können sich Häuser aus Gold bauen.«

Er selbst hat sich für einen Hungerlohn zu vier Jahren Dienst verpflichtet. Ja, er tat es des Geldes wegen, denn wie soll er sonst durchkommen? Er ist Kanonenfutter, er weiß es und verwendet selbst einen verwandten Ausdruck dafür. »Im Frieden aber, da würde ich jede Arbeit machen.«

»Welche?«

»Jede, die dem Frieden gut tut, würde ich machen«, sagt er.

»Hast du gewählt?«

»Natürlich habe ich gewählt. Ich habe so viele Tote und Verletzte gesehen, ich muss doch Hoffnung haben.«

»Und hast du Hoffnung auf die neue Regierung?«

»Ja«, er lächelt sein schüchternes Lächeln. »Warum nicht?«

Aber es klingt fatalistisch, auch ohne dass er das will.

Jemand randaliert draußen, offenbar gibt es Widerstand gegen unseren Besuch. Plötzlich ist der junge Soldat ganz Hausherr:

»Die sollen ruhig sein, dies ist mein Haus, und hier bestimme ich.«

Wirklich ist er der Familienvorstand über acht Schwestern und zehn Brüder.

»Sie leben alle noch«, sagt er lächelnd. Offenbar hat er seinen Anteil daran und ist zu Recht stolz. Ich sehe mich um: ein kahler Raum, verräuchert, die Kruppe eines unbewachsenen Hügels vor der Tür, Lehmhäuser, der einbrechende Winter: Dies ist der Ort der Sehnsucht eines Soldaten. Von diesem wird er träumen, schon ab morgen, wenn er das Dorf wieder verlässt, um im Süden für eine Sache zu kämpfen, die nicht die seine ist, an die er nicht glaubt, die durch ihn anderer Leben kosten wird und möglicherweise auch das seine.

Auf dem Lehmweg zurück in den nächsten Ort passieren wir wieder die Nomadensiedlung. Plötzlich eine Erscheinung: Ein etwa Achtjähriger ohne Hose stellt sich mit einem großen Stein in der Hand unserem Wagen entgegen. Sein Augenausdruck völlig verwildert, seine Pose tollkühn und verzweifelt, sein Blick keinem Wort zugänglich. Er steht nur da und bedroht den Wagen mit dem ausgestreckten Wurfarm. Dazu brabbelt und keucht er und ist in der Atemlosigkeit seines Zorns und Heldenmuts zugleich so entfesselt und hilflos, dass man ihn kaum ansehen kann. Vielleicht explodiert er gleich, verliert die Kontrolle, befreit sich von sich selbst. Er ist vielleicht eines jener traumatisierten Kinder, auf die man hier überall trifft, vielleicht ist er auch verstört geboren. Der Ausdruck jedenfalls, den er sich gibt, ist der des ohnmächtigen Kriegers, der den Feind mit Wackersteinen bekämpft.

Mirwais greift sich eine Faust voll Nüsse und Rosinen aus unserem Proviant und nähert sich dem Kleinen vorsichtig. Behutsam entwindet er der drohenden Faust den Stein und lässt die Nüsse hineingleiten. Doch der Kleine ist unfähig, sie zu fassen, nur ein paar noch schlingt er mit den Lippen aus dem Handteller. Der Rest fällt in den Staub. Niemand spricht.

Nicht weit, und wir passieren ein liebendes kleines Mädchen, das mit innigem Gesichtsausdruck einen Hahn im Arm so drückt, dass ihm die Augen aus dem Kopf quellen, wozu er kläglich krächzt. Manches kann nur der Krieg erklären.

Der Gewährsmann ruft an, lädt zum Essen ein. Ich sage ab, werde heute Abend eine Verlobungsfeier besuchen. Ich solle die Verlobung absagen, fordert er. Ich sage nicht ab.

Kabul erlebt eben einen Heiratsboom. Das sei erst so, sagt man, seit auf den Hochzeiten Musik gespielt werden dürfe, und weil die privaten Räumlichkeiten vielfach zu eng sind, sieht man hinter den großen Fenstern der »Wedding Halls« in der Stadt manchmal Männer mit Männern, Frauen mit Frauen tanzen. Der Tradition der Geschlechtertrennung während der Hochzeit können auch diese neuen Las Vegas-Tempel nichts anhaben.

Die Verlobung im Hause einer der weitläufigen Verwandten Nadias ist eine aufgeklärt, also liberal inszenierte. Das bedeutet: Prachtvoll gewandete, duftende Afghaninnen (wie fehlt uns inzwischen der Blick in die Gesichter der Frauen!) treten in das Vestibül des Gastgeber-Hauses und verschwinden im Frauentrakt, dem Keller. Nur ganz kurz begegnen sich im Hof – wo in riesigen Töpfen, Becken, Pfannen auf offenem Feuer gekocht und gegrillt wird – und im Empfangsraum Männer und Frauen. Doch ignorieren sie sich fast.

Während die Frauen dann abwärts in einen Saal steigen, aus dem bald Rauch und laute Musik dringen, begeben sich die Männer in einen seitlichen Salon, wo sie, etwa dreißig an der Zahl, im Kreis am Boden sitzen und die Zeit mit Schweigen füllen. Die alten Propheten mit ihren weißen Bärten und Turbanen haben sich in Tücher gehüllt und kauern regungslos, Turab rutscht unruhig herum, wechselt mehrmals den Platz, grimassiert, flüstert aufrührerisch:

»Du bist Gast, du gehst jetzt einfach runter in den Keller zu den Frauen!«

Mirwais dient als Bote zwischen dem Männer- und dem Frauentrakt:

»Da sitzen jetzt die Verlobte und der Verlobte auf einem Thron im Saal.«

Und ich habe zwei junge Emigranten getroffen, die aus den USA heimgekehrt sind und vielleicht, vielleicht auch nicht bleiben wollen. Sie sitzen, wie der Verlobte, zwischen allen Stühlen der Länder, Generationen, Sprachen, Ethnien, Zeiten. Sie partizipieren gierig an der amerikanischen Kultur, wissen kaum, wie sie ihr die heimatliche entgegensetzen sollen, und doch bewegen sie sich sicher und unironisch zwischen fremdartigen Traditionen und Ritualen.

Zwischendurch lässt mich Nadia durch Mirwais vor die Tür bitten. Sie strotzt bereits vor Festlaune, hat getanzt und strahlt, dass sich die Freude überträgt. Ein Kamerateam verschwindet im Keller, die Musik ist nun noch zügelloser, man hört sogar ein Kreischen, und wieder ist meinem Blick alles entzogen, was die weibliche

Welt Afghanistans ausmacht. Bleiben wir also und erwarten wir die Belebung des Männertrakts.

Zurück im Saal, grüßen die Alten jetzt mit geneigtem Kopf. Eineinhalb Stunden gemeinschaftlichen Sitzens haben uns zur Solidargemeinschaft werden lassen. Dann wird in Windeseile das Tischtuch auf den Boden gerollt, und die Speisen kommen in einer gut organisierten Eimerkette in den Saal: Brot, zwei Sorten Reis für jeden, Ragout, Kebab, Götterspeise in zwei Farben. Das rituelle Essen beginnt, wird lautlos aufgezehrt und ist eine halbe Stunde später nie gewesen: alle Teller abgeräumt, die Alten wieder sitzend, wieder schweigend, die Frauen im Keller eine lärmende Bedrohung der Moral. Bollywood-Musik, live gespielte Instrumente, sogar ein zirpender Gesang.

Zur Verabschiedung darf ich ein Stockwerk höher in das Gemach des Paars, eigentlich eine riesige rosa Bonboniere voller Geschenke, so süß wie pompös. Darin die Braut Ton in Ton, schön wie ein Ausstellungsstück, aber fast durchsichtig vor Glück und Sorge. Der Mann daneben ein Flüchtling, der aus Pakistan heimgekehrt ist, vornehm, doch bullig, und deshalb vielleicht zu unbeholfen, um die Zeremonie vollends elegant zu bewältigen.

Als ich durch den nächtlichen Hof gehe, wird immer noch gekocht.

»Wir legen die Kohle immer unter den Topf und später auf seinen Deckel, damit er heiß bleibt«, erklärt Mirwais so verschwörerisch, als handele es sich um das Geheimrezept für die glückliche Ehe.

Das Land tritt über alle Grenzen, Kabul expandiert maßlos, der Nachkriegszustand ist labil. In dieser Situation gibt sich das Land eine Verfassung. Acht Weise arbeiten daran, zwei Frauen sind darunter. Eine von ihnen, eine Dame mit profunder juristischer Ausbildung, frage ich nach dem spezifisch Weiblichen, das sie der Verfassung zu geben vermochte. Sie erwidert:

»Es war nicht schwer, einen Passus in die Verfassung zu bringen mit dem Wortlaut: Vor dem Gesetz sind alle Menschen gleich. Es war schwer, ausdrücklich hineinzunehmen, dass damit auch die Frauen gemeint sind. Die Männer sagten immer, das ist doch klar, und wir antworteten, aber wenn es klar ist, sollte es ausdrücklich darin stehen. Wir haben uns durchgesetzt.«

Ein Jahr lang haben sie verhandelt, haben Kinder- und Witwenrechte spezifiziert, haben die alte Konstitution, aber auch einige europäische Verfassungstexte und solche aus islamischen Staaten studiert. Auch amerikanische Berater haben ihre Hilfe angeboten. Nach sechs Monaten wurden dann von der Verfassungskommission etwa dreißig Personen aus allen Provinzen hinzugezogen, und man rang um eine Vereinbarung mit den Traditionen der Stämme und Ethnien. Gewiss, es ist ein Kompromiss herausgekommen, aber ein tragfähiger.

»Ich bin zufrieden«, sagt die Juristin. »Aber erwähnen Sie mich bitte nicht namentlich.«

Über Nacht ist der Winter da, windstill und klirrend. Wir fahren in eine der Heimkehrer-Siedlungen, wo die Wäsche zwischen den Trümmerteilen russischer Panzer und den Ruinenmauern aufgegebener Häuser hängt.

Hier also landen die, die den Versprechungen der Politik folgen und aus Pakistan wieder heimgekommen sind. Die Gebäude sind oft ohne Dach, haben schadhafte Umfassungsmauern und bieten kaum Schutz vor der Kälte. Die Fassaden sind voller Nischen. Nicht um Schießscharten, um Lüftungskanäle handelt es sich hier. Wein zu keltern ist seit Jahrzehnten laut Verfassung verboten. Zur Erntezeit hängt man die Trauben hinein und trocknet sie zu Rosinen. Ein Alter reicht mir eine Hand voll. Sie sind warm von seiner Faust.

»Zwanzig Jahre lang haben wir gekämpft für die Humanität, und wo sind wir gelandet? In diesen Bergen.«

Nur ein paar Kilometer weiter liegt ein Flüchtlingslager an der auslaufenden Flanke eines sanft ansteigenden Berges. Wenn die Schneeschmelze kommt, wird vielleicht auch der Fluss nach sieben Jahren zum ersten Mal wieder Wasser führen. Aber von den Hängen drohen dann Schlammlawinen, die Minen mitreißen und auch schon ganze Familien begraben haben. Hier in den Bergen gewährleisten Hilfsorganisationen die Wasserversorgung. Männer, Frauen, Kinder ziehen mit Kanistern in drei Größen über die verschneiten Hügel davon, auf eine Felswand zu, in der die Hütten sitzen wie Starenkästen.

Sie ziehen in die entfernten Dörfer, Kindergreise, grünäugige Hexen, kleine Trümmerfrauen in Nachkriegsmänteln und mit Kopftüchern, eine mit Samtkleid zu Gummistiefeln, uralte Zwergmenschen mit gezeichneten Gesichtern. Manchmal haben sie am Ziel nur noch einen Eisblock in ihrem Kanister, und manchmal umarmen sie bloß ein einzelnes Fladenbrot an ihrer Brust.

Aus dem Iran und Pakistan schickt man die Flüchtlinge ins Nichts, weil es doch jetzt ruhig sei. Präsident Karsai appelliert: Kehrt zurück. Das tun sie, finden sich an Berghängen fast ohne Schutz und verhungern oder erfrieren. Wo sie ankommen, sind Ruinen.

Eine Frau floh vor 22 Jahren unter schwerer Bombardierung nach der völligen Zerstörung ihres Hauses ins Lager von Peschawar. Sebogol heißt sie, »schöne Blume«, ihr Mann fiel in der Heimat. Jetzt traute sie sich, an den Stadtrand von Kabul zurückzukehren, fand die Ruine ihres Hauses und machte sie bewohnbar. In der Stadt selbst war sie erst selten. Dort ist es zu gefährlich, das Einkaufen überlassen die Frauen lieber ihren Männern.

Andere aus Peschawar lebten schutzlos mit vierhundert Familien in der Universitätsruine, wurden vertrieben, flohen in die Berge und wurden neuerlich vertrieben. Da ging der Älteste zu Präsident Karsai und erwirkte Duldung: Das Camp am Hang darf bleiben, jetzt 1200 geduldete Haushalte, doch ohne Aussicht:

»Wir werden hier leben solange wir leben, haben keinen Strom, keinen Schutz, kein Wasser. Was soll uns die Politik? Ich bin ein alter Mann und habe in meinem Leben nur gekämpft, und wo bin ich gelandet? Hier!«

Von den Hügeln aus überblickt er die Stätten der Toten.

Afghanistan versinkt im kältesten Winter seit zwanzig Jahren. Minus zwanzig Grad werden gemessen. Schon für Kabul bitter, wo mancher wenigstens einen Generator hat. Aber in den Flüchtlingscamps kommen uns die Kinder mit Flip-Flops an den nackten Füßen entgegen.

»What's up?«, ruft ein Neunjähriger und baut sich auf wie ein Gebrauchtwagenhändler.

Vor zwei Jahren aus Peschawar gekommen, lebt er mit acht Personen ohne Strom in einem Zimmer. »Very bad« sei seine Situation, sagt er, die Hand unter der Jacke irgendwie cool in der Achselhöhle parkend, als säße dort die Waffe. Erst später begreife ich: Die Krieger hatten ihre Hand am Achselholster, und die Kinder kopieren diese Geste.

Wir gehen ins Haus des Lager-Oberhaupts zu Spritzgebäck, Tee und Kokosbonbons. Gekämpft haben sie alle, aber aus »Notwehr«, wie sie betonen. Denn nicht sie haben die Politik gewählt, sondern die Politik hat entschieden, dass das afghanische Volk zwischen den Interessen anderer zerrieben werde. Alles Weitere folgte daraus. Der Älteste und Richter in seiner Uniformjacke sagt:

»Auch wenn es eine russische Botschaft in Kabul gibt, wir leben in der Zerstörung unserer Ordnung durch die Russen. Wir werden sie immer hassen.«

»Und wie dachten Sie, als die USA Kabul bombardierten?«

»Sie stellen Fragen, die ein Präsident beantworten müsste, aber ich bin bloß ein Obdachloser«, erwidert er, ganz Richter.

Ringsum zerklüftete Schneelandschaft, Hütten aus Lehmziegeln, in die der Frost Risse reißt. Erst als CARE in diesen entlegeneren Gebieten Unterricht organisierte, sich für Versorgung und nachhaltige Erziehung einsetzte, erlosch der Widerstand der Eltern, und nicht einmal die Tatsache, dass alle 24 Schulen hier koedukativ sind, schafft noch Probleme.

Die Mädchen erzählen ihre Geschichten. In jeder gibt

es Tote. Aber heute ist der Schulweg kurz und sicher, Schwestern und Eltern überwachen die Hausaufgaben, und der Frühling kommt immer schön in diese Berge.

Für die Mädchenschule hat ein Vater sein Privathaus zur Verfügung gestellt.

»Heute ist es besser«, sagen alle im Chor.

»Warum?«

»Weil wir nicht getötet werden. Weil wir Muslime sein dürfen. Weil wir Ärzte, Lehrer, Ingenieure werden wollen.«

Sicher, sie gehen zum Arzt, der Lehrer kommt zu ihnen, und auf Ingenieure hoffen alle. Nur eines der Mädchen will nicht fotografiert werden, damit die Eltern sie so nicht sehen.

Draußen hat sich auf einem Karren unterdessen ein Krieger aufgebaut, ein Wahrhaftiger und Trottel zugleich, mit wenigen Zähnen und riesigem Frohsinn. Seine Stimme gellt über den kleinen Platz:

»Wir brauchen keine Regierung, die sich nicht kümmert! Alles hier haben wir allein aufgebaut. Wir sind müde vom Kämpfen, aber wenn nichts passiert, werden wir unsere Gewehre wieder ergreifen.«

Er schüttelt seinen gebogenen Stock über den Köpfen der Lachenden.

»Seid ruhig, ich spreche die Wahrheit!«

Alle lachen: »Er hat Recht, er hat Recht!«

Seine Stimme übertönt alle, während er höher auf den Wagen steigt und sein Zepter schwenkt:

»Salam aleikum, Charlie Charlie.«

Das Letztere hält er für Deutsch.

Dann zischt er: »Gib mir Arbeit. Ich kann alles. Was du willst, kann ich erledigen.«

Alle lachen.

Im Inneren erhalten die Kinder Minen-Unterricht. Vom Zeigestock von Objekt zu Objekt geführt, nennen sie die Namen der tödlichen Waffen.

»Und wer von euch hat schon eine echte Mine gesehen?«

Viele Hände fliegen hoch, und die Gesichter glühen, stolz, dabei zu sein. Auf den Feldern markieren weiße Steine die geräumten, rote die noch verminten. Jetzt hat der Schnee alles weiß gemacht.

»Und wie habt ihr euch geschützt?«

»Wir haben Bunker gegraben mit unseren Händen«, sagt ein Mädchen.

Im Innenhof der Schule wurde ein Obstgarten angelegt, damit die Lehrerschaft mit der Ernte ihr dürftiges Gehalt aufbessern kann.

»Unter den Taliban«, sagt die Lehrerin, »habe ich heimlich im Kopf und im Herzen gelernt. Jetzt tue ich es offen, und es ist eine Ehre für mich.«

Auch sie, die moderne Afghanin, trägt privat manchmal die Burka.

Auf dem Dach der Schule stehend, ahnt man die Fortschritte ringsum. Die Felder an den Hängen sind terrassiert, man hört die Hähne, das Hämmern der Arbeiter in der Ferne, das Rufen der Bauern. In dieser Stunde schmeckt die Luft nach Frühling, und man möchte nicht glauben, dass hier lange eine der Hauptlinien des Krieges verlief. Manchmal steigt in der Schneelandschaft ein einzelner weißer Drache auf. Man sieht ihn kaum und denkt: Gott sei Dank, da spielt jemand.

Auf dem Weg zum Flughafen: Ein Karren zieht vorbei. Aufgefädelt auf zwei Schnüre transportiert er nebeneinander Süßwasserfische und Spatzen. Die Haut der Fische schimmert nur noch stumpf, die Flügel der Spatzen sind ausgefranst, von den Smogwolken werden beide geräuchert. Da hält ein Polizist den Karren an und schiebt ihn eigenhändig auf eine Nebenstrecke:

»Weg hier! Gleich kommt doch Präsident Karsai mit seiner Kolonne vorbei!«

Der Händler staunt: Ist dem der Anblick des Karrens nicht zuzumuten?

Woran halten wir uns zum Abschied fest? An zwei Tragetüten mit Mandeln aus Kunduz, die Turab zuletzt überreicht, an einem zentralafghanischen Kinderwestchen, einem Lapislazuli-Kästchen, einem Talisman gegen den bösen Blick. Turab huscht durch die Umarmung, reibt mich zweimal mit seiner eingefallenen, unrasierten Wange. Mirwais, die Tasbeh fest in der Linken, sucht mit dem Blick auf dem Boden. Wir küssen uns dreimal, die Hände umklammern einen Augenblick zu lange die Oberarme, dann lässt man ab.

»Du wirst mir fehlen.«

Er nickt. Dann kommt der Irrwitz der Familienszenen, das Schluchzen und Nicht-lassen-Können, der Befehlston der Kontrollen, die imperatorischen Gesten der Zöllner, das Schreien der Schleuser, das blinde Dirigieren der Verantwortlichen.

»Senda baschi!«, hat Mirwais gesagt. »Du sollst leben.«

Als ich Afghanistan unter mir liegen sehe, denke ich nichts anderes.

Danksagung

Ich verdanke Nadia Karim viel, für das ich mich nicht bedanken kann. Aber hier danke ich ihr für ihre nimmermüde Fürsorge und Unterstützung und ihre couragierte Bereitschaft, mich ihr Land mit ihren Augen sehen zu lassen. Ich danke für alles, was sie diesem Buch gegeben hat, und außerdem danke ich ihren Cousins Mirwais-jan und Turab-jan, die mir heute so viel bedeuten.

Nadja Malak und Wolfgang Jamann von CARE International danke ich für ihre hilfreiche, umsichtige Begleitung auf meiner ersten Afghanistanreise.

Ich danke Anette Henke, auf deren Unterstützung und organisatorisches Geschick ich nun schon so lange vertrauen darf, und ich danke meinem Verleger Jörg Bong und meinem Lektor Jürgen Hosemann, deren Enthusiasmus und Einsatz es zu danken ist, dass dieses Buch jetzt und so verwirklicht werden konnte.

Spenden:
Afghanischer Frauenverein Hagen e. V.
Konto: 0680850500, Dresdner Bank Neuwied
BLZ 570 800 70.

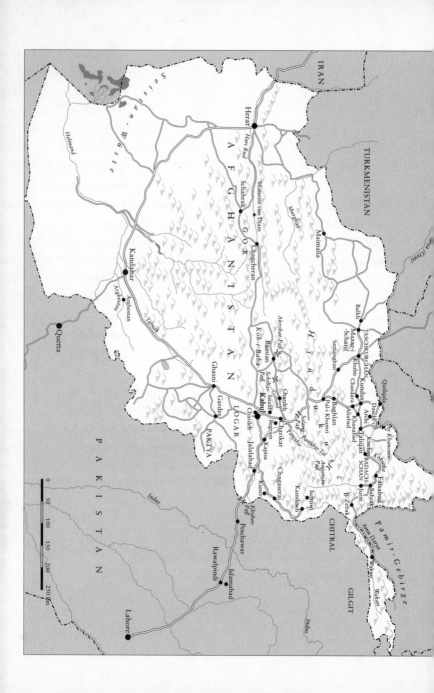